LES SOUFFRANCES DU JEUNE WERTHER

GOETHE

LES SOUFFRANCES
DU
JEUNE WERTHER

Traduction, chronologie et préface
par
Joseph-François Angelloz
recteur honoraire de l'Académie de Strasbourg

GF
FLAMMARION

CHRONOLOGIE

L'ENFANCE (1749-1765)

1749 (28 août) : A l'heure de midi, naissance de Johann
Wolfgang Gœthe à Francfort-sur-le-Main, ville
libre d'Empire (environ 36 000 habitants).
Parents : Johann Kaspar Gœthe, « conseiller impé-
rial » sans fonction (1710-1782) et Katharina Éli-
sabeth Gœthe, née Textor (1731-1808).
Frères et sœurs : Sœur : Cornelia Friederike Christiana,
née le 7 décembre 1750. Quatre frères et sœurs plus
jeunes moururent en bas âge.
Études : L'enfant fréquente d'abord une école
publique, puis il travaille à la maison avec des pro-
fesseurs particuliers ; en novembre 1756, il commence
à étudier le latin et le grec ; en février 1758, le français ; en septembre 1758, le dessin ; en 1760, l'italien ;
en 1762-1763, l'anglais et l'hébreu ; en 1763, le
piano et le droit.

1759 (1ᵉʳ janvier) : Occupation de Francfort par les
troupes françaises (pendant la guerre de Sept Ans) ;
le comte Thoranc, lieutenant du roi, est logé dans
la maison de Gœthe jusqu'au 30 mai 1761. Le jeune
Gœthe fréquente assidûment le théâtre français.

1763 (25 août) : Gœthe entend un concert de Mozart
(7 ans) et de sa sœur.

1764 (3 avril) : Couronnement de Joseph II. Gœthe
le raconte dans son autobiographie *Poésie et Vérité.*

1765 : Leçons d'escrime et d'équitation.

ÉTUDES UNIVERSITAIRES (1765-1771)

1765 (30 septembre) : Départ de Gœthe pour Leipzig,
où il arrive le 3 octobre et s'inscrit à l'Université ;
il y suit notamment des cours d'histoire, de philo-

sophie, de philologie, de poétique, de morale; il s'intéresse également au droit, à la médecine et aux sciences de la nature. Il fréquente le théâtre et travaille à l'académie des beaux-arts, sous la direction d'Œser.

1766 : Premiers poèmes, inspirés par Käthchen Schönkopf (« Annette »).

1767 : Gœthe écrit : *Die Laune des Verliebten.*

1768 (février-mars) : Séjour à Dresde et visites des musées.
(Fin juillet) : Maladie sérieuse, qui oblige Gœthe à rentrer à Francfort, où il arrive le 1er septembre; il n'entrera en convalescence qu'au début de 1769. Influence de Mlle de Klettenberg, piétiste. Nombreuses lectures, dont les traces dans son œuvre sont d'importance.

1769 (février) : Il achève en février *Die Mitschuldigen,* comédie en un acte, et dans le courant des mois de juin-septembre, il en fait une comédie en trois actes.
(Fin octobre) : Voyage à Mannheim, où il visite la « Salle de l'Antiquité ».

1770 (30 ou 31 mars) : Départ pour Strasbourg, où il s'inscrit à l'Université, entreprend des études juridiques et suit en même temps des cours de sciences politiques, d'histoire, d'anatomie, de chirurgie et de chimie.
(22 juin-4 juillet) : Voyage à cheval dans la Basse-Alsace et en Lorraine (Saverne, Bouxwiller, Sarrebruck, Haguenau). Intérêt nouveau pour la géologie, les mines et la métallurgie.
Rencontre de Herder, qui séjourne à Strasbourg de septembre 1770 à avril 1771.
(Octobre) : Rencontre de Frédérique Brion et liaison amoureuse, contée plus tard dans *Poésie et Vérité ;* elle inspire « Mailied », « Willkommen und Abschied ».

1771 (Été) : Traduction des *Chants de Selma* par Ossian, qui prendra place dans *Werther.*
(6 août) : Gœthe est reçu licencié en droit.
(14 août) : Après avoir pris congé de Frédérique, Gœthe quitte Strasbourg et rentre à Francfort par Mannheim, où il visite de nouveau la « Salle de l'Antiquité ».

LES ANNÉES DE « STURM UND DRANG »
(1771-1775)

1771 (31 août) : Gœthe est admis au barreau; il prête serment le 3 septembre ; il plaidera vingt-huit fois.
(Septembre-octobre) : Étude et traduction d'Ossian.
(14 octobre) : Allocution *Zum Shakespear Tag*.
(Novembre-décembre) : Gœthe écrit en six semaines *Geschichte Gottfriedens von Berlichingen mit der eisernen Hand dramatisiert*.
(Fin décembre) : Rencontre de Merck (1741-1791).

1772 (14 janvier) : Exécution de l'infanticide Suzanna Margaretha Brandt; Gœthe (qui a connu les actes du procès) s'en inspirera pour le personnage de Gretchen dans *Faust*.
(Fin février-début mars) : Visites répétées chez Merck, qui le 1er janvier a pris la direction des « Frankfurter Gelehrte Anzeigen »; Gœthe y publiera, de mars à décembre 1772, huit comptes rendus.
Visites répétées au « Cercle des âmes sensibles » de Darmstadt (« Gemeinschaft der Heiligen »), qui lui décernera le nom de « Voyageur » (Der Wanderer).
(Avril) : Merck introduit Gœthe chez la romancière Sophie de La Roche (1731-1807) et sa fille Maximilienne ; celle-ci jouera un rôle dans la genèse de *Werther*.
(Mai-septembre) : Gœthe est à Wetzlar, où il s'éprend de Charlotte Buff, qui sera l'héroïne de *Werther*. Lectures et études de Pindare, Homère, Goldsmith, Lessing *(Emilia Galotti)* ; les traces en sont nombreuses dans *Werther*.
(10 septembre) : Gœthe quitte Wetzlar, séjourne avec Merck chez Maximilienne de La Roche et rentre à Francfort le 19 septembre.
(30 octobre) : Suicide de Jérusalem à Wetzlar (voir notre préface à la traduction de *Werther*).
(6-10 novembre) : Voyage d'affaires à Wetzlar.
Poèmes de cette période qui sont révélateurs pour le « *Sturm und Drang* » : *Wandrers Sturmlied, Der Wandrer, Mahomets Gesang, Ganymed* (1774).

1773 (février-mars) : Deuxième version du *Götz von Berlichingen*; elle paraît en juin.

(Printemps) : Étude de Hans Sachs.

(Mai) : Étude de Spinoza.

On trouvera plusieurs de ces poésies dans *Les plus beaux poèmes allemands* (P.U.F. 1964).

(Été) : Gœthe commence *Faust*.

(Été-automne) : Gœthe travaille à *Prometheus ;* au début d'octobre, il a terminé deux actes et s'interrompt.

(Début d'octobre) : Gœthe écrit *Götter, Helden und Wieland*.

(Milieu de novembre) : Il commence *Erwin et Elvire*.

1774 (15 janvier) : Maximilienne de La Roche, qui a épousé le commerçant Brentano, s'installe à Francfort, où Gœthe lui rend visite.

(1er février) : Gœthe commence son roman *Die Leiden des jungen Werthers*, qui sera terminé en avril et paraîtra à l'automne.

(Printemps) : Conception d'*Egmont*.

(Mai) : Gœthe écrit en une semaine *Clavigo*.

(15 juillet-13 août) : Voyage dans la région du Rhin et de la Lahn.

(Début d'octobre) : Rencontre des princes Charles-Auguste et Constantin de Saxe-Weimar, qui se rendent à Paris.

1775 (janvier) : Gœthe s'éprend de Lili (Anne-Elisabeth) Schönemann, fille d'un banquier de Francfort, et se fiance à Pâques.

(Février-mars) : Gœthe écrit *Stella*.

(Début d'avril) : Gœthe reprend *Claudine von Villa Bella*, qu'il avait commencée au début de 1774 et l'achève en quelques semaines.

(14 mai-22 juillet) : Voyage en Suisse avec les comtes Stolberg et le baron d'Haugwitz, au cours duquel Gœthe dessine beaucoup.

(22 septembre) : De passage à Francfort, le duc Charles-Auguste de Weimar, âgé de 18 ans, qui règne depuis le 3 septembre, invite Gœthe à lui rendre visite à Weimar; le poète accepte.

(Octobre) : Gœthe rompt ses fiançailles avec Lili Schönemann.

(Septembre-octobre) : Il écrit des scènes de la première version du *Faust*.

PREMIER SÉJOUR A WEIMAR (1775-1786)
VERS LE CLASSICISME

1775 (7 novembre) : Gœthe arrive à Weimar, où il fréquentera intimement les hautes personnalités de la Cour et parmi elles Charlotte von Stein ; elle deviendra son amie, son éducatrice et se retrouvera chez plusieurs de ses héroïnes, en particulier Iphigénie.

1776 (janvier-février) : Gœthe envisage de rester à Weimar, de s'y établir. Le duc lui accorde un traitement de 1 200 thalers avec pension de 800 (16 mars), lui offre une maison (22 avril), lui confère le droit de cité (26 avril), le nomme « Geheimer Legationsrat » avec siège et voix délibérative au « Conseil secret », la plus haute instance du pays, fait de lui, le 25 juin, un fonctionnaire de l'État weimarien. Gœthe devient un véritable ministre, chargé de secteurs très divers, tels que l'exploitation des mines et des forêts, le théâtre et la vie culturelle, etc. Ces fonctions le mettent en contact avec la réalité et contribuent à orienter le « Stürmer » qu'il était vers le classicisme (voir notre *Gœthe*, Mercure de France, 1949).

1777-1778 (16 février 1777) : Gœthe commence *Wilhelm Meisters theatralische Sendung*. Au cours de ces deux années, ses nouvelles fonctions l'amènent à faire de nombreux voyages dans le duché, notamment du 4 septembre au 9 octobre 1777, dans la forêt de Thuringe, et du 29 novembre au 19 décembre 1777, dans le Harz, du 10 mai au 1er janvier 1778 à Potsdam et Berlin. Son activité poétique en souffre ; néanmoins, il compose quelques très beaux poèmes comme *An den Mond, Harzreise im Winter, Der Fischer, Grenzen der Menschheit*.

1779 (janvier) : Le duc lui confie la direction de la Commission militaire et de la Commission des routes. (14 février) : Gœthe commence *Iphigénie en Tauride*, drame en prose, qu'il achèvera le 28 mars ; le drame est joué le 6 avril par Corona Schröter (Iphigénie), Gœthe (Oreste), le prince Constantin (Pylade), Knebel (le roi Thoas).

(Mai-juin) : Gœthe travaille à *Egmont*.
(5 septembre) : Il est nommé « Geheimrat ».
(12 septembre 1779-13 janvier 1780) : Deuxième voyage en Suisse.

1780 (Printemps) : Nouvelle version d'*Iphigénie*, en vers libres.
(30 mars) : Conception du *Tasso*.
(23 juin) : Gœthe est admis comme « apprenti » dans la loge maçonnique Amalia, à Weimar; un an plus tard, il sera « compagnon » et, le 1er mars 1782, « maître ».
(16 juillet) : Gœthe donne lecture de ce qui restera l'*Urfaust*.
(14 octobre) : Gœthe commence le *Tasso* en prose. Gœthe se plaît à des études de minéralogie; il entreprend une collection minéralogique et une collection de dessins. Il a écrit en 1780 quelques poèmes comme *Uber allen Gipfeln ist Ruh*, *Meine Gröttin*, *Gesang der Elfen*.

1781-1786 : Gœthe commence *Elpenor*, donne lecture du *Tasso*, travaille à *Egmont*, est anobli par Joseph II, continue à rédiger *Wilhelm Meister* (livres 2, 3, 4, 5 et 6), entreprend et achève la deuxième version de *Werther* (terminée en août 1786), fait plusieurs voyages dans le Harz. Il se livre de plus en plus à des recherches scientifiques et découvre l' « os inter-maxillaire » (mars 1784); il développe ses recherches botaniques et microscopiques.

LE VOYAGE EN ITALIE (1786-1788)

1786 (3 septembre) : Gœthe s'échappe en secret de la ville d'eaux de Carlsbad pour gagner l'Italie par Eger, Ratisbonne, Munich, Innsbruck, le Brenner et le lac de Garde.
(14 septembre-29 octobre) : De Vérone à Rome par Vicence, Padoue, Venise, Ferrare, Bologne, Florence, Pérouse; partout il fait des observations botaniques, géologiques, météorologiques; il visite les musées, les bâtiments anciens ou modernes, les églises, les parcs; il travaille à une nouvelle rédaction d'*Iphigénie*.
(Novembre 1786 à février 1787) : Premier séjour à Rome. Gœthe fréquente les peintres allemands installés à Rome, en particulier Wilhelm Tischbein

(1751-1829) et Angelika Kauffmann (1741-1807), ainsi que l'écrivain Karl Philipp Moritz (1757-1793). Il ne cesse pas de visiter les œuvres d'art de l'Antiquité et de la Renaissance; il visite également les parcs et la campagne et poursuit ses recherches botaniques; il s'intéresse à la météorologie. Il observe la vie du peuple et suit avec curiosité le carnaval romain. Il fait de nombreux dessins, achève l'*Iphigénie en Tauride* (dernière version, en vers ïambiques), travaille à *Egmont, Tasso, Faust, Wilhelm Meister, Stella*.

1787 (22 février-7 juin) : Voyage à Naples, dans le Sud de l'Italie et en Sicile. Recherches scientifiques et ascension du Vésuve (1er mars), visite de Pompéi (11 mars), Herculanum (18 mars), Paestum (21-25 mars).
(22 mars-2 avril) : Voyage par mer de Naples à Palerme; c'est dans le jardin public de cette ville que, le 18 avril, l'idée de la plante originelle s'impose à lui.
(18 avril-11 mai) : Voyage en Sicile : temple de Segeste (20 avril), théâtre antique de Taormina (6-8 mai), Messine (8-11 mai).
(11 mai-2 juin) : Retour à Naples par mer, deuxième visite de Paestum (16 mai), observation d'une éruption de lave au Vésuve (1er juin).
(3-6 juin) : Retour à Rome.
(7 juin 1787-23 avril 1788) : Deuxième séjour à Rome.
(Juin-décembre) : Gœthe continue et approfondit ses études antérieures; il travaille méthodiquement le dessin. Il achève ou remanie *Egmont* et *Elvire*, et travaille à *Wilhelm Meister*.

1788 (février) : Gœthe fait le bilan : il a compris qu'il n'a pas une vocation d'artiste, mais de poète; il décide de s'en tenir à des études artistiques, avec la conviction qu'il a maintenant appris à voir. Il fait des projets d'avenir pour son œuvre littéraire et poétique.
(23 avril) : Gœthe quitte Rome et par Modène, Parme, Milan, le lac de Côme, Chiravenna, Chur, Vaduz, Constance, il regagne Weimar, où il se retrouve le 18 juin.

WEIMAR — L'ÉPOQUE CLASSIQUE (1788-1805)

Le duc décharge Gœthe de diverses fonctions et celui-ci s'éloigne de Charlotte de Stein.

1788 (12 juillet) : Gœthe rencontre Christiane Vulpius, qui va devenir la compagne de sa vie et plus tard sa femme.
(31 juillet) : Achèvement du *Tasso*, auquel il travaille intensément depuis l'automne de 1787; le drame sera imprimé dans le tome VI des *Œuvres complètes*, dont les huit volumes paraissent de 1788 à 1790.
(9 septembre) : Gœthe rencontre pour la première fois Schiller chez Mme de Lengefeld, à Rudolstadt.

1789-1794 : Les voyages de Gœthe n'ont plus la même importance, mais il convient de mentionner :
a) un deuxième voyage en Italie, qu'il fera du 12 mars au 20 juin 1790 pour ramener de Rome la duchesse Anna Amalia ; on en trouve l'écho dans les *Venetianische Epigramme*.
b) La participation à la campagne de France (8 août-milieu de décembre 1792), dont il se fait le « reporter » littéraire. Il doit à cette campagne une idée plus concrète de la Révolution française, qui a suscité en Allemagne un intérêt passionné.

Il ne publie qu'un petit nombre d'œuvres poétiques nouvelles, mais il faut signaler son essai *Einfache Nachahmung der Natur, Manier, Stil*, qui est un véritable manifeste du classicisme. Par contre, son activité scientifique est grande et il donne le résultat de ses recherches dans plusieurs ouvrages consacrés à la métamorphose des plantes (1790), à la théorie des couleurs (*Beiträge zur Optik*, 1791, 1792 et 1793).

L'événement essentiel est l'amitié qui va lier Gœthe et Schiller et, grâce à eux, réaliser en Allemagne ce qu'on peut appeler une école classique. Gœthe avait rencontré Schiller une deuxième fois, le 31 octobre 1790, et il l'avait entretenu de Kant, dont il venait d'étudier la *Critique du jugement*. Ils se retrouvent du 20 au 23 juillet 1794, à Iéna, à l'occasion d'une conférence scientifique et ils discutent de la plante originelle, de la métamorphose et des relations entre l'idée et l'expérience dans la connaissance de la nature. Ils se lient d'amitié et échangeront une correspondance qui est d'une infinie richesse pour la compréhension du classicisme allemand. Gœthe accepte de collaborer à la revue de Schiller *Die Horen ;* ils échangent idées, manuscrits et critiques et, si Gœthe publie au cours des années suivantes des œuvres considérables, nous le devons en partie à Schiller. Le premier résultat important de cette amitié fut le grand roman éducatif *Wilhelm Meisters Lehrjahre,* pour lequel Gœthe avait élaboré un schéma dans l'été de 1793 ; en mai 1794, il achève le livre I, en septembre, le livre II, en décembre, le livre III ; l'approbation enthousiaste de Schiller (et de Humboldt) le stimule au point qu'en août 1796 l'œuvre sera achevée.

1795 (avril-mai) : Achèvement des *Römische Elegien,* dans lesquelles se combinent l'expérience italienne et l'amour pour Christiane Vulpius.

1797 : Cette année est appelée « Das Balladenjahr » car Gœthe et Schiller rivalisent dans le genre de la ballade ; c'est ainsi que Gœthe écrit : *Der Schatzgräber, Die Braut von Korinth, Der Gott und die Bajadere, Der Zauberlehrling.*

1803 : *Die natürliche Tochter.*

1805 (9 mai) : Mort de Schiller.
C'est la fin de la période classique, au cours de laquelle Gœthe a composé de nombreux poèmes ou écrits divers.

LE SAGE DE WEIMAR (1805-1839)

Gœthe va de plus en plus devenir celui qu'on appelle « le Sage de Weimar » ; grâce à lui la ville est un centre d'attraction où affluent les visiteurs ; il suit avec un intérêt toujours éveillé les événements de toutes sortes et continue à enrichir son œuvre poétique ou scientifique ; nous voudrions en indiquer les étapes principales.

1806 (3 mars-22 avril) : Achèvement de *Faust I.*
(14 octobre) : Batailles d'Iéna et d'Auerstädt ; la

maison de Gœthe échappe au pillage, en partie grâce à Christiane Vulpius, que Gœthe épouse le 19 octobre 1806.

1807 (17-21 mai) : Il commence à écrire *Wilhelm Meisters Wanderjahre.*

1808 : Ce travail est interrompu, car une « nouvelle », qu'il voulait y insérer, devient un roman, qui sera *Die Wahlverwandtschaften.*

(2 octobre) : Gœthe est reçu en audience par Napoléon en présence de Talleyrand et d'autres dignitaires ; conversation sur *Werther.* Il s'entretient avec lui le 6 et le 10 ; l'Empereur l'invite à Paris.

(14 octobre) : Gœthe reçoit l'ordre de la Légion d'honneur.

(16 octobre) : Visite de Talma et de sa femme.

1809 : Gœthe travaille d'une manière continue à sa *Farbenlehre.*

(11 octobre) : Gœthe entreprend d'écrire son autobiographie *Dichtung und Wahrheit* et il achève *Die Wahlverwandtschaften.*

1813 (6-23 décembre) : Il commence à rédiger *Die italienische Reise.*

1814 (7 juin) : Il lit le *Divan* de Hafis dans la traduction de Joseph von Hammer et il éprouve le désir de composer de nouveaux poèmes.

(25 juillet-27 octobre) : Voyage dans la région du Rhin, du Main et du Neckar, au cours duquel il rencontrera Marianne Jung (plus tard femme de von Willemer) et une tendre affection les unira ; elle sera l'inspiratrice du *Westöstlicher Divan*, dont Gœthe compose les poèmes de 1814 à 1818.

1816 (6 juin) : Mort de Christiane, son épouse.

1817 : Nombreux écrits scientifiques.

1821 (janvier-mai) : Achèvement de *Wilhelm Meisters Wanderjahre*, dont Gœthe publie la première version.

1825 (26 juin-17 septembre) : Une fois de plus, Gœthe séjourne dans la ville d'eaux de Marienbad, où il fréquente notamment Mme de Levetzow et ses filles ; il s'éprend de l'une d'elles, Ulrike, et voudrait l'épouser, mais elle ne s'y résout pas. Il se retrouve dans la même situation que jadis, à Wetzlar, et il compose la *Trilogie der Leidenschaft*, qui est un peu le dernier écho de *Werther*. L'un des poèmes, intitulé *Aussöhnung*, est inspiré par la musique d'une pianiste de Saint-Pétersbourg, Mme Marie Szymanowska, dont le talent l'avait profondément ému. (10-19 octobre) : Lecture approfondie de Byron, qui lui inspirera le personnage d'Euphorion dans le second *Faust*.

1827 (21 mai) : Gœthe reprend *Faust II*, qui devient son travail principal.

1829 (1-27 janvier) : Il achève la deuxième version de *Wilhelm Meisters Wanderjahre*.
(Février) : Il reprend *Faust II*.
(Août) : Il achève *Italienische Reise*.

1831 (janvier-octobre) : Il reprend et achève *Dichtung und Wahrheit*.
(12 février-22 juillet) : Il reprend et achève *Faust II*.

1832 (26 mars) : Gœthe meurt à 11 h 30 du matin.

PRÉFACE

Johann Christian Kestner, l'heureux fiancé de Charlotte Buff, ne se doutait pas que le futur auteur de *Werther* le prendrait pour modèle d'Albert, lorsque, de Wetzlar, il écrivait à son ami Hennings, en 1772 : « Au printemps est arrivé ici un certain Gœthe de Francfort, docteur en droit de par sa profession, âgé de vingt-trois ans, fils unique d'un père très riche, pour s'orienter *in Praxi* : telle était du moins l'intention de son père, la sienne en revanche, d'étudier Homère, Pindare, etc. et de s'adonner à toutes les occupations que son génie, son genre de pensée et son cœur pourraient en outre lui inspirer. »

Quel était ce « certain Gœthe », jeune homme encore peu connu et bientôt célèbre, qui après un assez long séjour à Strasbourg allait vivre à Wetzlar le roman de *Werther* ?

Johann Wolfgang Gœthe [1], né à Francfort en 1749, était le fils d'un riche bourgeois de la ville qui avait soigneusement veillé sur sa formation ; il avait fait ses études d'abord dans sa ville natale, puis à l'Université de Leipzig ; malade, il avait quitté la Saxe, le 28 août 1768, pour rentrer dans sa famille et s'y soigner. Après sa guérison, son père l'envoya à Strasbourg, où il séjourna d'avril 1770 à août 1771. De cette heureuse période nous retiendrons surtout ce qui put contribuer à la formation de Gœthe et ce qui nous apparaît comme une préfiguration du séjour à Wetzlar. Le jeune homme doit d'abord, selon le vœu de son père, achever ses études juridiques et, le 6 août 1771, il est déclaré

---

1. Le lecteur curieux trouvera aisément tous les détails sur la vie de Gœthe dans la Chronologie, dans les nombreuses biographies qui lui furent consacrées et notamment dans celle que nous avons publiée aux Éditions du Mercure de France (1949).

licencié en droit, titre équivalent à celui de docteur. Mais son enrichissement intellectuel provient d'autres sources : il fait la connaissance de Herder, son aîné de cinq ans, déjà connu pour ses travaux littéraires, et celui-ci lui révèle la valeur de la poésie populaire, la grandeur d'Homère, de Pindare, d'Ossian, de Shakespeare. Gœthe admire Strasbourg, en particulier sa cathédrale, qui lui inspire un essai fameux sur « l'Architecture allemande » (1772). Il participe à la vie de la cité et a la chance d'être introduit dans une pension, dont il devait célébrer la table d'hôte dans le neuvième livre de *Poésie et Vérité*. Il y rencontre l'actuaire Jean-Daniel Salzmann, le théologien François-Christian Lerse, qui apparaîtra dans son *Götz von Berlichingen*, les étudiants en médecine Frédéric-Léopold Weyland et Jean-Henri Jung, connu sous le nom de Jung-Stilling, les juristes Henri-Léopold Wagner et Maurice-Joseph Engelbach. Il se promène à pied et à cheval dans la campagne alsacienne dont il avait bien vite, du haut de la cathédrale, découvert l'opulente beauté.

Au cours d'une de ces promenades, en octobre 1770, son camarade Weyland l'introduit dans le presbytère de Sesenheim, où il découvre la charmante fille du pasteur, Frédérique Brion ; il y revient souvent, il y séjourne et c'est la célèbre « idylle de Sesenheim », le premier grand amour heureux du poète ; elle dure jusqu'à la fin de son séjour, puis vers le 7 août 1771 il prend congé de son amie sans lui dire que cet adieu est définitif.

Grâce à Gœthe, l'amant infidèle, l'humble fille d'Alsace allait être immortalisée par le génie, d'abord dans le poème « Bienvenue et adieu » (*Willkommen und Abschied*, 1771) qui marque le début du lyrisme allemand moderne, puis dans le « Chant de mai » (*Mailied*, 1771), hymne grandiose à l'amour humain, réplique terrestre de l'universel amour et source d'inspiration du poète.

Comme plus tard le héros de *Werther*, le jeune Gœthe est la proie de deux tendances antagonistes. D'une part, il aspire à s'évader hors de la vie bourgeoise et calme pour se plonger dans la nature et se fondre dans l'infini, d'autre part, il a besoin de se retrouver et de s'apaiser dans la rusticité d'une chaumière et dans les bras d'une simple fille plus solidement enracinée que lui dans la vie de tous les jours. En

Alsace, son besoin d'évasion l'avait conduit à Sesenheim, dont le nom même évoquait la douceur d'un foyer, et Frédérique pouvait lui apparaître comme la jeune femme accueillant le voyageur errant qu'il évoquera dans le poème *Der Wanderer* composé au début de 1772; mais lorsqu'elle lui rendit visite à Strasbourg, dépouillée de son auréole villageoise, elle le déçut trop pour qu'il ne redoutât point de se diminuer lui-même en se liant à elle.

De Strasbourg comme jadis de Leipzig, Gœthe revient à Francfort et reprend la vie dans le cercle familial, mais il n'est plus l'étudiant malade de 1768; il s'est formé à l'école de la vie, de l'amour, de la poésie; il se sent à l'aurore de sa véritable existence, sans savoir encore ce qu'elle sera. Son père est fier de son succès juridique, heureux de le voir inscrit au barreau de sa ville natale et il l'aide avec joie dans ses plaidoiries. Le poète naissant qui n'avait pas voulu devenir un petit bourgeois en Alsace va-t-il devenir un grand bourgeois francfortois? Il s'en gardera et, rentré au milieu d'août 1771, il envoie le 28 novembre à J.-D. Salzmann une importante lettre, dans laquelle il parle de sa ville natale comme d'un nid et d'un trou : « *Nidus*, si vous voulez. Bon pour couver des oiseaux, mais également au figuré *spelunca*, un sale trou. Dieu m'aide à sortir de cette misère! Amen. » L'oiseau s'évade souvent de sa cage, Gœthe est fréquemment en route, au point qu'on l'appelle « le voyageur »; en particulier il se rend souvent à Darmstadt, où il fréquente des milieux cultivés et fait la connaissance de Merck, que nous retrouverons à Weimar. Il veut réaliser son œuvre, composer un drame à la gloire d'un grand Allemand, Götz de Berlichingen, et d'une manière plus générale exprimer tout ce qui fermente et bouillonne en lui. Dans la même lettre à Salzmann il parle d'un « nisus vorwärts », d'un élan vital qui le projette en avant. La première évasion va le conduire au mois de mai 1772 à Wetzlar, où il s'inscrit à la « Cour de justice impériale », où il rencontrera Charlotte Buff, qui sera l'héroïne de *Werther*.

La petite ville de Wetzlar sur la Lahn, qui dès le huitième siècle possédait un château fort et une église importante, avait reçu en 1180 de l'empereur Frédéric Ier les droits d'une « ville libre d'Empire » et en 1693 la « Cour de justice impériale » (Reichskammergericht »). Elle était restée une ville moyenâgeuse, dont Werther dira justement qu'elle n'est pas agréable. Kestner, qui la décrit en 1767, et le juriste Johann Arnold Günther en 1778 sont d'accord pour la considérer comme un « trou » aux ruelles étroites et montueuses encombrées d'immondices, aux maisons mal construites et peu confortables [1]. Par contre la magnifique campagne environnante avec le fleuve qui serpente parmi les prairies et les collines couronnées de châteaux pouvait rappeler à Gœthe la plaine d'Alsace et devait lui fournir le décor de Werther.

L'unique gloire de Wetzlar était la Cour de justice impériale qui avait attiré Gœthe. Créée en 1495 comme Cour suprême destinée à arbitrer en toute indépendance les différends entre les princes et aussi à protéger les sujets contre leurs souverains, elle devait rester à Wetzlar depuis 1693 jusqu'en 1808, date à laquelle les victoires napoléoniennes amenèrent la disparition de ce qui subsistait encore du fantôme du Saint-Empire romain germanique. La Cour travaillait avec une telle lenteur que, en 1772, 16 233 procès étaient en instance ; aussi l'empereur Joseph II avait-il envoyé en 1767 une mission de contrôle (Visitation), qui était donc au travail depuis plusieurs années quand Gœthe arriva ; elle avait amené à Wetzlar de nouveaux fonctionnaires, parmi eux Kestner, secrétaire de la légation de Hanovre, von Goué, secrétaire de la légation de Brunswick, qui devait être remplacé, en 1772, par Jérusalem Friedrich Wilhelm Gotter, secrétaire de l'ambassade de Saxe-Gotha, Heinrich Christian Boie, poète et éditeur de l'*Almanach des muses de Göttingen*, qui parut à partir de 1770 et où il devait publier en 1774 des poèmes de Gœthe.

La population de Wetzlar comprenait, à côté du monde de toutes les petites villes, une société très différente, celle des membres de la Cour, juristes et parfois poètes, qui avait créé une vie mondaine réglée selon une étiquette périmée, où les quartiers de noblesse comptaient parfois plus que la valeur personnelle. Le jeune poète fut aussitôt revendiqué et absorbé par un groupe de juristes rencontrés à la table d'hôte ; ils formaient à la fois un cercle littéraire, une sorte de « table

---

1. Nous utilisons ici les textes publiés par Heinrich Gloël dans son livre *Gœthes Wetzlarer Jahre*, Berlin 1911, pp. 47-51.

ronde », où chacun d'eux portait le nom d'un chevalier célèbre et où Gœthe fut baptisé « Götz de Berlichingen le Probe », enfin une sorte de société secrète au langage hermétique et comptant différents degrés d'initiation. Gœthe, qui avait besoin du contact des hommes, retrouva donc à Wetzlar un cercle comparable à ceux qu'il avait connus à Strasbourg et à Darmstadt. Si à Strasbourg son ami Weyland l'avait conduit à Sesenheim, auprès de Frédérique Brion, à Wetzlar, Gotter l'introduisit dans la famille Buff.

Au milieu de la ville se trouvait le « Deutschordenshof [1] », Office des Domaines de l'ordre des chevaliers teutoniques, créé en 1287 pour gérer les biens de l'ordre. C'est là qu'habitait le bailli Heinrich Adam Buff, né en 1710, qui fut de 1740 à 1755 receveur des finances, puis gérant de l'ordre. En 1750 il avait épousé Magdalene Ernestine Freyer, de vingt ans plus jeune que lui ; Kestner, qui voyait en elle « la créature féminine la plus accomplie », déclare que l'opinion publique l'appelait « la meilleure femme du monde » ou encore « la femme aux nombreux et beaux enfants ». Elle en eut effectivement seize, dont quatre moururent en bas âge ; la deuxième, Charlotte, née en 1753, devait être l'héroïne de *Werther*.

La maison du bailli, comme aussi le pavillon de chasse, où la famille Buff se transportait parfois, était fréquentée avec plaisir par les jeunes gens de la Cour de justice, notamment par Gotter et Kestner. Celui-ci s'éprit de Charlotte, alors qu'elle avait quinze ans et, dès 1768, il lui écrivit qu'il « se tiendrait pour le plus heureux des hommes, s'il pouvait avoir l'espoir de posséder éternellement son cœur inestimable ». Avec l'accord de ses parents, Charlotte lui fit une réponse favorable et les deux jeunes gens se considérèrent désormais comme fiancés. Sans être aussi régulièrement belle que sa sœur aînée, Caroline, Charlotte avait un physique agréable et surtout une âme noble et pure, un cœur sensible, un esprit éveillé. A ces dons éminents, que l'éducation avait encore développés et mis en valeur, elle ajoutait un sens du réel et un talent de maîtresse de maison qui lui permirent de remplacer sa mère, lorsque celle-ci mourut en 1771. Une deuxième Frédérique, d'un niveau plus élevé que la première,

---

1. Voir Gloël, *ibid.*, p. 123.

telle nous apparaît celle qui devait être l'héroïne de *Werther* et une fois de plus Gœthe n'aurait guère qu'à copier la nature qui, peu de semaines après son arrivée à Wetzlar, lui procurait un tel modèle.

Le poète-juriste se gardait bien de travailler à la Cour de justice, qui n'avait peut-être été qu'un prétexte pour faire un pèlerinage à la ville de ses ancêtres : en effet, son arrière-grand-père du côté maternel, le Dr Cornelius Lindheimer, puis son grand-père y avaient exercé des fonctions juridiques avant de s'installer à Francfort et son père lui-même y avait séjourné entre 1734 et 1738. Il y retrouva d'ailleurs une grand-tante, Frau Hofrat Lange et c'est avec elle que, dans l'après-midi du 9 juin 1772, il alla chercher Charlotte pour la conduire au bal de Volpertshausen, où ils rencontrèrent également Kestner et Jérusalem. A cette fête printanière le hasard se plut à réunir les personnages du drame que le poète présentera dans *Werther* et la genèse du roman va nous montrer comment les épisodes de la vie débouchent dans l'œuvre d'art.

LA GENÈSE DE WERTHER

S'il est toujours difficile mais passionnant, de rechercher et découvrir la genèse d'une œuvre littéraire, celle de *Werther* semble ne poser que des problèmes faciles à résoudre, puisque le roman fut composé en moins de trois mois, du début de février à la fin d'avril 1774 ; nous avons donc là, semble-t-il, une création toute spontanée, jaillie d'un seul jet. Or, Gœthe écrivait à Lavater le 26 avril 1774, en lui promettant l'envoi de son manuscrit : « Tu prendras garde aux souffrances du cher jeune homme que je présente. Nous avons cheminé côte à côte pendant six années environ sans nous rapprocher. Et maintenant j'ai prêté à son histoire mes sentiments et cela fait un ensemble étonnant [1]. » Six années nous reportent à 1768, c'est-à-dire, sinon à Leipzig, que Gœthe quitta fin août, du moins à Francfort, où il avait recouvré la santé et découvert

1. Les textes que nous utilisons dans la suite figurent en général dans l'excellente et commode édition d'Erich Trunz : *Hamburger Ausgabe* (tome 6, 1951, pp. 515-535); les lettres citées ici se trouvent pp. 520-523.

une religiosité nouvelle, à Strasbourg, qui fut pour lui la ville de Herder et de Frédérique, à Wetzlar enfin et de nouveau à Francfort. En outre, au milieu de février 1774, il avait parlé dans une lettre à Sophie de La Roche d'un travail qu'il avait commencé sans avoir jamais eu l'idée de faire du « sujet » un « tout individualisé ». En mars 1774 il écrit à Charlotte : « Tout ces temps-ci, peut-être plus que jamais, tu as été avec moi... Je ferai imprimer cela pour toi le plus tôt possible. Ce sera bon, ma très chère. Car est-ce que je ne me sens pas bien, quand je pense à vous ? » Tout se passe comme si, ayant voulu exorciser le passé en faisant de lui un « document » littéraire, Gœthe avait écrit un roman lyrique, expression de son Moi, dont les épisodes principaux auraient pour titres : Lotte, Jérusalem, Maxe.

I. LOTTE

« Dans la première partie de *Werther*, c'est Gœthe lui-même qui est Werther », devait écrire Kestner à son ami Hennings, le 7 novembre 1774. « Pour Lotte et Albert il nous a emprunté des traits à tous deux, ma femme et moi. Bien des scènes sont entièrement vraies, mais pourtant en partie modifiées ; d'autres sont étrangères à notre histoire. » Nous y découvrons en effet l'histoire de l'amour qui frappa Gœthe comme un coup de foudre au cours d'un bal qu'il devait décrire si magnifiquement dans son roman. Dès le lendemain matin, il fit une visite à Lotte et, ainsi que le déclare Kestner, dans sa lettre à Hennings, il apprit à la connaître du côté qui fait sa force, du côté « domestique » ; il la trouva entourée de ses frères et sœurs, auxquels elle distribuait des tranches de pain ; la scène du roman qui devait tenter graveurs et peintres est donc elle aussi empruntée à la réalité, mais placée avant le bal. Chaque jour il revient, joue avec les enfants, s'entretient avec la jeune fille qui admire le génie du visiteur ; il l'aide dans ses travaux de ménage ou de jardinage et il s'abandonne à un amour de plus en plus passionné et sans espoir. Tout cela se retrouve dans *Werther*, comme les promenades et les conversations avec Lotte et son fiancé, Johann Christian Kestner. Très vite les

trois jeunes gens sont devenus amis inséparables et
« ainsi ils vécurent pendant ce magnifique été une
idylle très allemande, pour laquelle le pays fertile
fournit la prose et une pure inclination la poésie »
(*Poésie et Vérité*, livre XII).

Mais cette « idylle » ne pouvait pas durer ; le moment
vint où Charlotte dut lui déclarer qu'il n'avait pas le
droit d'espérer plus que de l'amitié ; ce fut le 16 août
1772, déclare Kestner, qui admirait la fidèle fermeté
de sa fiancée et plaignait sincèrement son ami, au point
que celui-ci devenait encore plus cher (werther [1]).
Aussi désespéré qu'il avait été passionné, Gœthe envi-
sagea de quitter Wetzlar et il fut encouragé dans ce
projet par son ami Merck [2] qui, après lui avoir conseillé
de fuir, vint le voir et lui proposa de l'accompagner
dans un voyage à Coblence. Gœthe fixa son départ au
11 septembre et le hasard voulut que, le 10, il eut avec
Charlotte et Kestner « un curieux entretien sur l'état
de l'homme après la vie [3] » ; cet entretien, qui figure
dans *Werther*, précipita sa fuite ; le 11 septembre, à
7 heures du matin, il quitta Wetzlar sans avoir pris
congé de ses amis. Il devait y revenir pour quelques
jours du 6 au 10 novembre 1772 avec son futur beau-
frère, Johann Georg Schlosser, et il écrivit, le 11, à
Kestner qu'il était temps de partir, car il avait eu la
veille au soir de bien mauvaises pensées. Même si ce
court retour à Wetzlar devait lui inspirer le deuxième
voyage de Werther dans le roman, tout était bien fini
pour lui, et à la fin de mars 1773 il procura même leurs
anneaux de mariage à ses deux amis, qui s'unirent le
4 avril.

Un amoureux éperdu et malheureux, qui ne peut
trouver son salut qu'en s'éloignant de sa bien-aimée,
aurait fait un piètre héros de roman s'il n'y avait pas
eu Jérusalem, qui devait fournir à Gœthe un dénouement tragique et se substituer à lui dans la deuxième
partie de *Werther*.

---

1. Lettre à Hennings, (*Hamburger Ausgabe*, t. VI, p. 516). On
a voulu voir dans ce comparatif « werter » l'origine du nom du héros.
2. Jean-Henri Merck (1741-1791) rencontra Gœthe en 1771 et
exerça sur lui une grande influence ; le poète, qui a fait de lui un portrait enthousiaste dans le douzième livre de *Poésie et Vérité*, lui em-
prunta certains traits pour son Méphistophélès.
3. Journal quotidien de Kestner (cité par Gloël, *op. cit.*, p. 207).

II. JÉRUSALEM [1]

Né le 21 mars 1747 à Wolfenbüttel [2], fils unique
d'un théologien protestant connu par ses sermons et
ses écrits, Charles-Guillaume Jérusalem suivit plus
tard les cours des universités de Leipzig, où il rencontra Gœthe, et de Göttingen. Le 22 mai 1770, le
duc de Brunswick le nomma assesseur à la chancellerie,
puis en septembre 1771 il l'envoya à Wetzlar comme
secrétaire de légation à la commission d'enquête de la
Cour de justice, afin de le préparer à de hautes fonctions qu'il lui réservait. Dans *Poésie et Vérité* (livre XII),
Gœthe le dépeint comme un homme de taille moyenne,
d'un extérieur agréable, vêtu à la mode de la Basse-
Allemagne d'un frac bleu, d'un gilet de cuir jaune et
chaussé de bottes à revers bruns [3] et Kestner voit en
lui un « brave garçon mélancolique ». Il avait plus de
goût pour la philosophie, la littérature et l'art que pour
le droit, ce qui l'apparente à Gœthe. Trois expériences
allaient conduire ce rêveur au suicide, celles qui devaient
également « miner » Werther : l'attitude méprisante
de la société, les relations avec son supérieur et un
amour sans espoir.

Comme il appartenait à une famille bourgeoise qui
avait accès à la cour de Brunswick et était un ami personnel du prince héritier, Jérusalem avait ses « entrées
dans la société » de Wetzlar. C'est ainsi que le comte
de Bassenheim l'invita un jour à sa table et lui fit savoir
qu'il le verrait volontiers dans ses « assemblées »,
c'est-à-dire ses réceptions, auxquelles seuls, d'habitude,
les membres de la noblesse étaient admis. Un après-
midi donc, Jérusalem fit son apparition à une « assem-
blée » du comte, sans que l'on sache si, invité au déjeu-

1. On consultera l'important chapitre de Gloël dans *Gœthes
Wetzlarer Jahre*, pp. 215-244.
2. Petite ville du duché de Brunswick connue en littérature par
le fait que le grand écrivain Lessing (1729-1781) y fut directeur de
la bibliothèque ; il écrivit notamment *Emilia Galotti* (1772), drame
bourgeois, que l'on devait trouver sur la table de Jérusalem (voir
le récit de Kestner utilisé par Gœthe à la fin de *Werther*). C'est
Lessing qui, s'étant pris d'amitié pour Jérusalem, publia en 1776
ses écrits philosophiques posthumes.
3. Ce costume que, après Jérusalem, Werther devait porter au
moment de son suicide fut mis à la mode par le roman ; il devait
même « faire fureur ».

ner, il était resté jusqu'à l'arrivée des visiteurs ou si, comme il est dit dans *Werther*, il avait voulu simplement se rendre à la réception. La présence d'un bourgeois fit scandale, en particulier du côté féminin; Jérusalem dut quitter la maison. Le comte lui-même lui tourna-t-il le dos, ainsi qu'on le raconta par la suite, ou le pria-t-il simplement de se retirer? Peu importe, mais le jeune homme fut profondément et douloureusement touché par un affront qui exprimait fort bien la mentalité des aristocrates de la Cour de justice. Gœthe utilisa cette scène dans *Werther*.

Plus sensible encore lui fut l'attitude de son chef, le ministre plénipotentiaire de Brunschwig, von Höfler, juriste sérieux, pointilleux et prétentieux, fier de son récent anoblissement (en 1768), que Jérusalem se refusait à appeler « Excellence », car il le considérait comme « un âne dans une peau de lion ». Les relations devinrent si mauvaises que le gouvernement ducal invita le conseiller de cour Franz Dietrich de Ditfurth, qui se trouvait à Wetzlar, à lui envoyer des rapports sur la situation. Von Höfler multiplia de plus en plus les vexations, demanda même le rappel de son « secrétaire » et réussit à le faire blâmer par la Cour.

Jérusalem aurait volontiers quitté cette ville, où tout lui rendait la vie douloureuse, mais il ne voulait pas s'éloigner sans s'être justifié et en outre il était éperdument amoureux de Mme Elisabeth Herd, femme belle et cultivée, mère de plusieurs enfants et dont le mari, également secrétaire de légation, jaloux et soupçonneux — sans raison d'ailleurs — ressemble plus à Werther que Kestner lui-même. Jérusalem ne pouvait avoir aucun espoir de conquérir la jeune femme et l'on comprend qu'il soit devenu de plus en plus mélancolique, au point qu'il parlait souvent de la mort et envisageait le suicide comme une libération. Il est significatif que le troisième de ses écrits philosophiques, certainement écrit à Wetzlar, soit consacré à la liberté et se trouve sur la table de Werther, ainsi que Kestner devait l'apprendre à Gœthe dans sa lettre de novembre 1772.

Dans ces conditions il suffit d'un incident pour provoquer le dénouement fatal. Le 28 octobre 1772, Jérusalem invite Herd à un banquet; il le reconduit à sa demeure, où l'on boit ensemble le café, dont il dit à Mme Herd que c'est le dernier ; pendant une absence de son mari il se jette à ses pieds et lui fait une déclaration d'amour en règle ; elle le repousse avec indignation et priera ensuite son mari d'interdire la maison à son soupirant, ce qui fut fait le lendemain. Le jour même, 29 octobre, Jérusalem envoie un billet à Kestner pour lui emprunter ses pistolets en vue d'un prochain voyage ; il les reçoit dans l'après-midi, paye de petites dettes, donne quelques ordres, fait une dernière promenade à son lieu de prédilection, Garbenheim, où il prend du thé sous les tilleuls. Le soir, il fait quelques lettres d'adieu et se donne la mort entre minuit et une heure du matin.

Le 30 octobre, Kestner écrit en français dans son « Journal quotidien » : « Aujourd'hui est arrivée cette malheureuse catastrophe de M. Jérusalem. Toute la ville le regrette généralement. » Gœthe est surpris et bouleversé par la mort de celui qu'il appelait en souriant « l'amoureux », quand il le rencontrait errant au clair de lune ; il sera profondément ému par les détails qu'il pourra recueillir pendant son court séjour à Wetzlar et plus encore par le récit que lui enverra Kestner en novembre 1772 ; particulièrement impressionné par certains détails, il les reprendra mot à mot dans *Werther*, dont la fin est entièrement empruntée à la réalité.

Si Gœthe pouvait puiser dans son expérience personnelle les éléments essentiels de la première partie de son œuvre, il devait emprunter la deuxième à Jérusalem, qui lui fournit même l'indispensable dénouement tragique. Pourtant il laissera passer toute l'année 1773 sans écrire son roman ; il devra attendre d'avoir revu Maxe, devenue entre-temps Mme Brentano.

III. MAXE

Gœthe semble bien avoir commis une erreur de mémoire quand, au treizième livre de *Poésie et Vérité*, il nous parle du mariage de Maximilienne de La Roche avec Brentano et de son installation à Francfort, avant d'évoquer la mort de Jérusalem, survenue le 30 octobre 1772, dont la nouvelle aurait provoqué en lui la cristallisation nécessaire. Souffrant alors des mêmes maux que lui, il se sentit passionnément ému et, continue-t-il, « j'insufflai à cette production, que j'entreprenais à l'instant même, toute cette ardeur enflammée qui ne fait aucune différence entre la poésie et la réalité ».

Nous pouvons dire qu'en novembre 1772 Gœthe « tient » son héros et le dénouement. Il sait ce que doit être Werther, tel qu'il le définira dans sa lettre du 1er juin 1774 à Gottlieb Friedrich Ernst Schönborn et l'ébauche de cette définition apparaît d'abord dans la confidence que le comte de Kielmannsegg lui fit à Wetzlar, entre le 6 et le 10 septembre, à propos de Jérusalem : « son effort anxieux pour atteindre la vérité et la bonté morale a miné son cœur, si bien que ses essais malheureux de vie et de passion le poussèrent à sa triste résolution ». Dans des termes semblables Gœthe écrit, le 26 novembre 1772, à Mme de La Roche : « Un cœur noble et une intelligence pénétrante, avec quelle facilité ils passent de sentiments extraordinaires à de telles résolutions. » En outre, Gœthe possède son dénouement : le suicide, car il l'a pour ainsi dire vécu par personne interposée, grâce à Jérusalem. Il a conté dans le douzième livre de *Poésie et Vérité* qu'à cette époque il pensait beaucoup au suicide et que parfois avant de s'endormir il essayait de s'enfoncer de quelques pouces un poignard dans la poitrine ; n'ayant jamais réussi, il finit par rire de lui-même et de ses idées noires et il décida de vivre. Jérusalem au contraire avait décidé de mourir et ce suicide réel fournit à Gœthe le point d'appui dont il avait besoin ; il faisait sortir le dénouement du domaine de la fiction romanesque et grâce à lui l'invraisemblable ou l'exceptionnel devenait vrai, authentique.

En outre Jérusalem offrait à Gœthe le recul nécessaire ou, pour employer un terme consacré, la « distance ». Nous savons que, comme il le dit à Eckermann, le 14 mars 1830, il ne pouvait transformer en œuvre littéraire que ce qu'il avait intensément vécu, « ce qui lui brûlait les ongles [1] » ; mais comment exprimer la passion à l'instant même où la tension de l'âme atteint son maximum et comment en retrouver l'ardeur au moment où elle s'est éteinte ? Avec Jérusalem c'était un autre lui-même qui, malheureux comme lui, se sacrifiait pour lui ; dans son double de Wetzlar il pou-

---

1. *Entretiens avec Eckermann*, 14 mars 1830.

vait s'observer, se regarder, souffrir et mourir. Grâce
à lui s'opérait ce passage du subjectif à l'objectif, dont
Charles du Bos a montré dans son *Gœthe* qu'il consti-
tuait pour Gœthe l'acte créateur par excellence. Ainsi
pouvait naître un roman lyrique, que Walzel considérait comme « un chef-d'œuvre dans l'art de se distancer ».

Encore fallait-il pour qu'une telle naissance fût possible que le poète, après avoir pris le recul nécessaire, se
retrouvât dans une atmosphère propice à l'évocation
d'un passé déjà éteint ; il va la retrouver dans le ménage
de Maxe qu'il fréquente en janvier 1774 et si, au cours
de l'année 1773, il n'a pu que penser au futur *Werther*,
au début de 1774, il va le composer.

Lorsque, en septembre 1772, Gœthe avait fui
Charlotte et Wetzlar, il s'était rendu à Thal-Ehren-
breitstein, chez Sophie de La Roche (1731-1804),
romancière influencée par Richardson et Rousseau et
dont l'« Histoire de Mademoiselle de Sternheim »
(Geschichte des Fräuleins von Sternheim) parue en 1771
avait connu un grand succès ; elle y était l'âme d'un
cercle où régnait la sensibilité à la mode. Il avait alors
connu sa fille Maximilienne, âgée de seize ans (elle était
née en 1756) ; elle lui avait fait une impression si forte
que, le 20 novembre 1772, il avait demandé à sa mère
l'autorisation de lui écrire. Mais, le 9 janvier 1774, la
jeune fille, « Maxe », devint à dix-huit ans la deuxième
femme de l'épicier Brentano, qui en avait trente-neuf et
était père de cinq enfants ; elle devait être la mère du
poète romantique Clemens Brentano, ainsi que de
Bettina, épouse d'Achim von Arnim et auteur de la
célèbre « Correspondance avec un enfant », témoignage
de l'admiration amoureuse qu'elle eut plus tard pour
Gœthe. Aussitôt après son mariage, Maxe vint résider à
Francfort dans l'atmosphère peu romantique de l'épi-
cerie que possédait son mari. On comprend que le jeune
poète se soit empressé de rendre visite à la jeune femme,
belle et intelligente, et que celle-ci l'ait accueilli avec
joie. Il devint bien vite un hôte assidu de la maison et un
hôte empressé, dont le mari, plus jaloux que Kestner,
prit ombrage. Au début du treizième livre de *Poésie et
Vérité*, Gœthe parlera de leurs rapports fraternels, mais
au début de février 1774, il avait écrit à Betty Jacobi :
« Maxe est toujours l'ange qui par les qualités les plus
simples et les plus précieuses attire tous les cœurs et le

sentiment que j'éprouve pour elle, sentiment dans lequel son mari ne trouvera jamais une raison d'être jaloux, fait le bonheur de ma vie » ; la jalousie était donc entrée dans le ménage. Y eut-il conflit entre les deux hommes ou entre les deux époux ? Gœthe fut-il invité à cesser toute visite ou se résigna-t-il une fois de plus à fuir, comme il le déclarera plus tard au livre XIII de *Poésie et Vérité* ? Nous l'ignorons. Mais, le 16 juin 1774, il avoue à Sophie de La Roche que le sacrifice qu'il fait à Maxe en ne la voyant plus « lui est plus cher *(werter)* que l'assiduité du plus passionné des amoureux *(Liebhaber)* et qu'au fond c'est bien une assiduité ».

L'épisode aurait pu être banal, s'il n'avait pas déclenché chez le poète le mécanisme créateur, rallumé en lui l'ardente flamme dont il sentait la nécessité. Il se retrouve dans la même situation qu'à Wetzlar, il sent en lui l'état d'âme passé, mais il est maintenant assez assagi pour en faire la matière d'une œuvre littéraire. En outre, si Jérusalem lui avait permis de se distancer de lui-même, le ménage Maxe-Brentano lui rappelle le couple Charlotte-Kestner, au point qu'à son héroïne il prêtera les yeux noirs de Maximilienne et à son fiancé quelques traits peu sympathiques de Brentano. C'est l'atmosphère du début de 1774 qui a déterminé la cristallisation nécessaire pour que l'œuvre projetée prenne corps ; elle le fait sous la forme d'un roman par lettres.

LE ROMAN PAR LETTRES

Gœthe ne s'est sans doute pas demandé longtemps quelle forme prendrait sa confession lyrique, car la littérature de son temps lui offrait avec *la Nouvelle Héloïse* [1], elle-même inspirée de Richardson [2], le modèle du roman par lettres et il semble bien qu'en l'écrivant il ait réalisé un projet qui le préoccupait depuis plusieurs années.

Nous ne possédons qu'une page, rédigée sans doute après la réception du récit de Kestner sur la mort de Jérusalem et d'après lui, qui puisse être considérée comme un travail préliminaire au roman ; elle annonce le

---

1. Voir l'excellente édition de René Pomeau (Éditions Garnier).
2. Voir le livre très documenté d'Erich Schmidt : *Richardson, Rousseau und Gœthe.*

dénouement et nous prouve simplement que, comme
pour le *Urfaust*, Gœthe commençait par la catastrophe
finale. Beaucoup plus important pour nous est ce qui
reste d'un roman par lettres, qu'il écrivit à l'automne
1770 ou dans l'hiver 1770-1771, et qui montre que dès
cette époque il pensait romancer ses expériences amoureuses [1].

La partie essentielle de ce fragment est une lettre
d'Arianne à Wetty. Arianne — c'est un homme — écrit
à sa tendre amie Wetty, qui vient de le remplacer par son
propre ami Walter. Beutler en donne l'interprétation
suivante : Gœthe reproche à Käthchen Schönkopf de
l'avoir assez oublié pour se marier ; il a dû constater que
« les jeunes filles sont des jeunes filles et que pour elles
un homme est un homme ». Le souvenir de Leipzig — et
aussi l'influence de Herder — emplit donc ce roman,
qui ne se composait guère que d'ébauches et ne s'élevait
pas au-dessus de l'anacréontisme, auquel sacrifiait
encore le jeune Gœthe. Il fallut l'idylle de Sesenheim
pour qu'il connût un amour vrai, mais il le chantera dans
sa poésie. Il fallut l'épisode de Wetzlar pour qu'il connût
la souffrance vraie, mais il ne l'exprima dans aucun
poème, il s'en libérera dans *Werther ;* le récit de son
amour malheureux formerait, selon la formule de
Beutler, un lien entre les lettres véritables, dans lesquelles Gœthe a confié ses sentiments pour Charlotte
Buff, et le roman, où il s'est servi de la forme épistolaire
pour les faire passer du subjectif à l'objectif.

Le roman par lettres présentait divers avantages, qui
ont été fort bien mis en relief par Gundolf dans son
grand livre sur Gœthe. La lettre se prête aussi bien
au récit que le roman et aussi bien à l'explosion lyrique
que la poésie ; certaines lettres sont d'ailleurs de véritables poèmes en prose. Elle n'est pas liée au temps de la
narration épique, qui est le passé, ou au présent, qui est
celui du lyrisme. Elle peut parler également de choses
passées ou présentes, comme aussi d'événements
personnels ou étrangers. Elle n'a pas pour condition la
distance temporelle, qui s'impose dans une chronique, ni
l'absence de distance, qui permet l'expression poétique.

---

1. Ces deux textes sont facilement accessibles dans l'édition de
l'Artémis Verlag, Zürich, tome IV, pp. 263-266 et 267; ils ont été
publiés par le directeur de l'édition lui-même, Ernst Beutler, le
grand spécialiste de Gœthe, dont le commentaire nous fournit les
renseignements nécessaires.

Ce qui importe, c'est une distance spatiale, l'éloignement de l'ami, qui crée entre les deux correspondants une tension comparable à celle du théâtre ; l'ami fictif, qui accepte de lire la lettre, est le confesseur dont on a besoin.

Gœthe n'avait donc pas à changer son point de vue pour le lecteur devenu confident ; qu'il voulût conter l'histoire de Werther et ses aventures ou exprimer des idées personnelles il employait le truchement de son héros. Il ne détruisait pas l'unité et la continuité de l'individu en faisant alterner la première et la troisième personne ; en introduisant le narrateur à la fin, il obtenait un très gros effet : le héros mort soudain apparaissait comme un autre lui-même. Cette unité atteinte, il pouvait, à son gré, grâce au changement de temps, faire alterner le récit et le lyrisme, le général et le personnel ou même s'attarder sans risque à des détails pittoresques, tels que l'apparition de Lotte distribuant des tartines à ses frères et sœurs, car le lecteur devenait son compagnon. Il a d'ailleurs confié que pour rendre ses lettres plus vivantes, il imaginait son ami assis devant lui et il les lui lisait.

GŒTHE EN FACE DE WERTHER

On sait qu'après avoir écrit *Werther*, Gœthe se sentit libéré comme « après une confession générale » et on a pu dire que ce qui le sauva, ce fut la balle qui tua son héros. Il ne devait pourtant pas s'en tirer à si bon compte et au cours de sa longue existence il rencontra plus d'une fois sa victime.

Le roman des *Souffrances du jeune Werther* fit sensation ; accueilli avec enthousiasme par les amis du poète, il inquiéta les moralistes, au point que Friedrich Nicolaï publia au début de 1775 une caricature satirique intitulée *Les joies du jeune Werther*. Gœthe lui écrivit en mars :

> Des souffrances de Werther
> Et plus encore de ses joies
> Préserve-nous, cher Seigneur-Dieu!

Troublé par les reproches qu'on adressait à son œuvre, il inscrivit en exergue dans la deuxième édition (1775) les deux quatrains suivants :

En tête du premier livre :

> Tout jeune homme aspire à aimer ainsi,
> Toute jeune fille à être aimée ainsi.
> Hélas! ce désir, le plus sacré de tous,
> Pourquoi doit-il être la source d'une violente peine?

En tête du deuxième livre :

> Tu le pleures, tu l'aimes, chère âme,
> Tu sauves sa mémoire de la honte ;
> Vois, de son antre son esprit te fait signe :
> Sois un homme et ne me suis pas.

Il se dissocie si bien de son œuvre qu'il la relit pour la première fois en entier au mois d'avril 1780 et avec une grande surprise (*und verwunderte mich*). Trois ans plus tard, il écrit à Kestner, le 2 mai 1783, qu'il a repris son roman, non pour porter la main sur ce qui a fait une telle sensation, mais afin de le hausser grâce à quelques tours de vis ; il veut notamment présenter Albert d'une manière telle que le lecteur ne puisse pas s'y méprendre. Le 25 juin 1786 il informe Mme de Stein qu'il continue ses corrections et il trouve toujours que « l'auteur a mal agi en ne se tuant pas après avoir achevé d'écrire son livre ». Ce travail fut d'ailleurs lui écrit-il, le 22 août 1786 *mein schwerstes Pensum :* il a en particulier modifié la fin du récit et il souhaite avoir réussi [1].

Werther le poursuit en tous lieux, bien que son évolution ait déjà fait de lui un classique et en Italie on l'accable de questions plus ou moins indiscrètes, au point qu'il exhalera sa mauvaise humeur dans une des *Epigrammes vénitiennes* et dans une des Elégies romaines; cela devient « une calamité qui le poursuivrait jusque dans l'Inde ». Lorsque Napoléon s'entretient avec Gœthe en 1808, c'est de Werther qu'ils parlent. L'acteur Talma et sa femme qu'il a invités chez lui, l'invitent à venir à Paris, où il trouvera son *Werther* dans tous les boudoirs.

Les années passent et Gœthe, qui a maintenant dépassé la soixantaine entreprend de rédiger ses Mémoires, auxquels il donnera le titre devenu célèbre *Poésie et Vérité ;* il y conte les épisodes qui sont à la base de son

---

1. Cette deuxième version, publiée en 1787, est celle qui l'emporta; c'est elle que nous avons traduite, en prenant pour base le texte de l'édition de Hambourg, t. VI.

Werther, il le fait avec une grande réserve en priant le lecteur de ne pas toujours rechercher dans cette œuvre ce qui est « vrai », mais de la lire comme un tout poétique. Le moment est venu où il réfléchit sur son œuvre de jeunesse et s'étonne non pas de l'avoir écrite, mais d'avoir pu supporter pendant plus de quarante ans une vie qui lui avait paru si absurde qu'il s'était immolé en effigie ; dans une lettre du 26 mars 1816 à Zelter, qui venait de perdre son fils cadet, il explique cette contradiction par le talent, qui lui permet d'éviter les situations opposées à ses tendances profondes. A Eckermann il déclarait le 2 janvier 1824, à propos de Werther : « C'est une créature que, semblable au pélican, j'ai nourrie avec le sang de mon propre cœur. Ce ne sont que fusées incendiaires! Elles créent en moi un sentiment de malaise et je crains de ressentir à nouveau la situation pathologique, qui les a créées... J'avais vécu, aimé et beaucoup souffert!... Ce serait grave si chacun n'avait pas une fois dans sa vie une époque où *Werther* lui paraît avoir été écrit pour lui. »

En ce mois de janvier 1824, Gœthe se trouvait de nouveau, à l'âge de soixante-quinze ans, dans un état d'âme comparable à celui de Werther. En 1821 il avait rencontré une jeune fille de dix-sept ans, Ulrike von Levetzow, qu'il retrouve en 1822, puis en 1823 ; son affection paternelle devint une passion telle qu'il demanda sa main ; elle lui fut refusée et sa douleur lui inspira la célèbre *Elégie de Marienbad* [1] composée dans l'été de 1823. Or, en mars 1824, la maison d'éditions Weygand, de Leipzig, qui avait publié *Werther* en 1774, voulut lancer une édition du Jubilé et demanda au poète une préface. Gœthe reprit donc son roman et il le revécut avec le sentiment qu'il était toujours Werther et toujours menacé par la passion. L'ancien et le nouvel amour se mêlèrent et se fondirent dans le poème « A Werther [2] », qui devait être la préface de la nouvelle édition et aussi la première partie de la « trilogie de la passion », la deuxième étant l'« Elégie de Marienbad » et la troisième le poème « Réconciliation », inspiré en août 1823 par le jeu de la pianiste polonaise Marie Szymanowska. Comme pour *Werther*, comme pour *Tasso*, la création poétique apportait le salut ; nous en avons la

---

1. Voir notre *Gœthe*, pp. 308-309, où l'on trouvera même une bibliographie succincte.
2. Nous en publions la traduction à la suite du roman.

preuve dans les deux vers du *Tasso* [1] qui figurent en exergue à *l'Elégie de Marienbad* et dont le deuxième termine le poème « A Werther » sous la forme d'un vœu :

« Et si, dans ses tourments, l'homme reste muet
Un Dieu me fit le don d'exprimer ma douleur »
Maintenant Gœthe en lui-même a exorcisé Werther.

CONCLUSION

Traduit en français, dès 1775, *Werther* fut mal accueilli par la critique, mais adopté d'emblée par le public, en particulier par les femmes et les jeunes gens, qui découvraient un nouveau Jean-Jacques Rousseau plus lyrique et plus dramatique que l'auteur de *la Nouvelle Héloïse* et des *Rêveries d'un promeneur solitaire*. Il suscita de nombreuses traductions (dix-huit de 1776 à 1807) et imitations et à la fin du XVIIIᵉ siècle il avait si bien conquis les esprits que Gœthe fut pendant longtemps « l'auteur de *Werther* [2] ». Nul ne l'a mieux compris que Mme de Staël, qui déclarait : « *Werther* a fait époque dans ma vie », qui voyait en lui « le livre par excellence » de la littérature allemande et le défendait même d'être une incitation au suicide ; en s'inspirant de lui, elle écrira *Delphine*.

Il était normal que la génération romantique s'enthousiasmât pour une œuvre qui la devançait de cinquante ans et il n'est pas de poète important chez qui l'on ne retrouve son influence. Bien plus, quand Chateaubriand a entrepris d'écrire *René* comme une sorte d'« anti-Werther » il « a créé un Werther chrétien, plus éclatant que l'autre, qui s'est rangé aux côtés du héros de Gœthe au lieu de le renverser [3] ». Après 1830, Gœthe deviendra « l'auteur de *Faust* », mais dans la préface que George Sand écrivit pour la traduction de Pierre Leroux [4], elle n'hésitait pas à célébrer *Werther*, chef-d'œuvre dans lequel Gœthe est aussi grand comme écrivain que comme penseur. A ce double titre en effet *les Souffrances du jeune Werther* sont une des œuvres classiques de la littérature universelle.

1. *Torquato Tasso*. V. 5, 3432-3433.
2. Nous empruntons ces précisions à l'excellent ouvrage de F. Baldensperger : *Gœthe en France* (Hachette, 1920).
3. Baldensperger : *Gœthe en France*, p. 40.
4. *Werther* (Hetzel, 1845).

BIBLIOGRAPHIE SOMMAIRE

Ouvrages d'ensemble sur Gœthe :

Parmi les nombreux ouvrages consacrés à Gœthe, à sa vie, à son évolution et à ses œuvres, nous signalerons dans l'ordre chronologique les principaux livres ou essais parus au XXe siècle.

1) Hippolyte Loiseau : *L'Évolution morale de Gœthe* (Paris, 1911).

2) Friedrich Gundolf : *Gœthe* (Berlin, 1916).

3) P. Witkop : *Gœthe* (1931). Traduction française chez Stock (1932).

4) Henri Lichtenberger : *Gœthe*. 2 vol. (Paris, Didier, 1937-1939).

5) J.-F. Angelloz : *Gœthe* (Paris, Mercure de France, 1949).

6) Charles Du Bos : *Gœthe* (Paris, Corréa, 1949).

7) Ernst Beutler : *Essays um Gœthe*. 2 vol. (1941 et 1947).

8) Richard Friedenthal : *Gœthe. Sein Leben und seine Zeit* (Munich, Pieper, 1963).

9) Gœthe : *Die Wahlverwandtschaften*. Édition bilingue avec préface et notes, par J.-F. Angelloz (Aubier, Éditions Montaigne, 1968).

La comparaison de *Werther* et des *Affinités électives* montre l'évolution qui conduisit Gœthe de la révolte du « Sturm und Drang » à l'idéal classique et au « renoncement » du sage.

10) Parmi les traductions récentes nous citerons :

   a) Celle de Buriot-Darsiles (Aubier, Éditions Montaigne, dans la collection bilingue) ;

   b) L'édition scolaire de Pages choisies par P. Cotet. (Éditions Hatier.)

LES SOUFFRANCES DU JEUNE WERTHER [1]

Tout ce que j'ai pu recueillir de l'histoire du malheu-
reux Werther, *je l'ai rassemblé avec soin et je vous*
le présente ici et je sais que vous m'en saurez gré. Vous
ne pouvez refuser à son esprit et à son caractère votre
admiration et votre amour, ni vos larmes à son destin.

Et toi, âme sensible, toi qui te sens la proie des mêmes
passions, puise dans sa souffrance une consolation et
accepte ce petit livre pour ami, si le destin ou ta propre
faute t'empêche d'en trouver un qui te soit plus proche [2].

LIVRE PREMIER

Le 4 mai 1771 [3].

Quelle joie d'être parti! Très cher ami, qu'est-ce que
le cœur de l'homme! Te quitter, toi que j'aime tant,
toi dont j'étais inséparable, et me sentir joyeux! Je le
sais, tu me pardonneras. Mes autres relations n'étaient-
elles pas choisies tout exprès par le destin pour emplir
d'angoisse un cœur comme le mien? La pauvre Léo-
nore! Et pourtant j'étais innocent. En pouvais-je mais,
si, tandis que la charmante mutinerie de sa sœur me
procurait un agréable divertissement, une passion s'en-
flammait dans son pauvre cœur [4]? Et pourtant suis-je
entièrement innocent? N'ai-je pas alimenté ses sentiments? Et même ne me suis-je pas souvent délecté à
entendre la nature s'exprimer par elle avec tant de
vérité, n'en ai-je pas ri bien souvent, si peu risible que
cela fût? N'ai-je pas... Oh! qu'est-ce que l'homme,
pour qu'il ose se plaindre de son sort! Je veux me cor-
riger, cher ami, je te le promets, je le veux; je ne veux
plus remâcher, comme je l'ai toujours fait, un peu de
misère que le destin nous sert; je veux savourer le
présent, et le passé, pour moi, sera le passé. Certes, tu
as raison, très cher : il y aurait moins de souffrances
ici-bas, si les hommes (Dieu sait pourquoi ils sont
ainsi faits) ne s'appliquaient pas avec tant d'imagination à évoquer les souvenirs des maux anciens, plutôt
que de supporter un présent qui leur est indifférent.

Veux-tu avoir la bonté de dire à ma mère que je
m'occuperai de son affaire au mieux et que je lui en
donnerai des nouvelles sous peu. J'ai vu ma tante [5] et
je suis loin d'avoir trouvé en elle une méchante femme,
telle qu'on la dépeint chez nous. C'est une femme vive,
emportée, mais qui a le cœur le meilleur. Je lui ai
exposé les griefs de ma mère pour cette part d'héritage
qu'elle lui retient ; elle m'a dit ses raisons, ses motifs,
les conditions auxquelles elle serait prête à tout nous

restituer et même plus que nous ne réclamions. Bref —
je ne veux pas aujourd'hui en écrire plus à ce sujet —
dis à ma mère que tout ira bien. Et une fois encore,
mon cher, à l'occasion de cette petite affaire, j'ai cons-
taté que les malentendus et la paresse causent peut-
être dans ce monde plus de désordres que la ruse et la
méchanceté. A tout le moins, ces deux dernières sont
certainement moins fréquentes.

Au demeurant, je me trouve tout à fait bien ici. La
solitude est pour mon cœur dans cette contrée paradisiaque un baume délicieux et cette saison, qui est
celle de la jeunesse, emplit de toute sa chaude plénitude mon cœur si souvent frémissant. Il n'est pas
d'arbre, il n'est pas de haie qui ne soit une gerbe de
fleurs et l'on voudrait devenir hanneton pour voguer
dans cet océan de senteurs parfumées et y trouver
toute sa pâture.

La ville elle-même n'est pas agréable [6] ; par contre,
tout autour s'étend une nature d'une indicible beauté.
Cela décida le défunt comte de M..... à créer un jardin
sur l'une des collines qui, en se croisant avec la plus
belle diversité, forment les vallons les plus délicieux.
Le jardin est simple et l'on sent dès l'entrée que le
plan n'en fut pas tracé par un savant jardinier, mais
par un cœur sensible, désireux d'y jouir de lui-même [7].
J'ai déjà versé mainte larme à la mémoire du défunt
dans le pavillon délabré qui fut son coin favori et qui
est également le mien. Bientôt je serai le maître du
jardin ; le jardinier est bien disposé à mon égard —
quelques jours y ont suffi — et lui-même ne s'en trouvera pas mal.

Le 10 mai.

Il règne dans mon âme tout entière une merveilleuse
sérénité, semblable à ces douces matinées de printemps
que je savoure de tout mon cœur. Je suis seul et je goûte
la joie de vivre dans cette contrée qui est faite pour des
âmes comme la mienne. Je suis si heureux, mon très
cher, je suis à ce point plongé dans le sentiment de cette
existence paisible que mon art en souffre. Actuellement
je ne pourrais pas dessiner, pas même tracer un trait et
pourtant jamais je n'ai été un plus grand peintre qu'en
ce moment. Quand les vapeurs de ma chère vallée
s'élèvent autour de moi, quand les feux du soleil au
zénith reposent sur les impénétrables ténèbres de ma

forêt, si bien que seuls quelques rayons épars se glissent
furtivement à l'intérieur du sanctuaire ; quand, allongé
dans l'herbe haute, près du ruisseau qui dévale, et plus
proche de la terre, je découvre des milliers d'herbes
diverses ; quand je sens plus près de mon cœur le
grouillement du petit monde qui s'agite entre les brins
d'herbe, les formes innombrables et insondables des
vermisseaux et moucherons, et quand alors je sens la
présence du Tout-Puissant, qui nous a créés à son image,
le souffle de l'Être d'amour qui, voguant dans une éternelle béatitude, nous porte et nous soutient ; mon ami!
lorsque mes yeux sont noyés de brume et que le monde
qui m'entoure et le ciel tout entier reposent en mon
âme comme l'image d'une bien-aimée, alors, souvent je
ne suis plus que nostalgie et je songe : ah! que ne peux-
tu exprimer tout cela! que ne peux-tu insuffler au papier
ce qui vit en toi avec tant de plénitude, tant de chaleur
pour que cela devienne le miroir de ton âme, comme ton
âme est le miroir du Dieu infini! Mon ami, ces pensées
m'anéantissent, je succombe sous la puissance et la
splendeur de ces apparitions [8].

Le 12 mai.

Je ne sais si des génies trompeurs planent sur cette
contrée, ou si c'est l'ardente, la céleste fantaisie de mon
cœur qui de tout ce qui m'entoure fait pour moi un tel
paradis. Voici la fontaine tout à l'entrée du pays, une
fontaine [9] à laquelle je suis enchaîné comme par un
charme, telles Mélusine [10] et ses sœurs. Tu descends
une petite éminence et tu te trouves devant une voûte ;
là, après avoir descendu encore une vingtaine de marches,
tu vois, tout en bas, l'eau la plus claire jaillir au pied de
roches de marbre. Le petit mur qui forme la clôture
supérieure, les grands arbres qui recouvrent le terrain
aux alentours, la fraîcheur du lieu, tout cela a quelque
chose d'attirant et qui vous fait frémir. Il ne se passe
pas de jour que je ne reste assis là une heure. Alors les
jeunes filles de la ville y viennent puiser de l'eau, la
plus innocente des besognes et la plus nécessaire aussi,
celle à laquelle jadis les filles des rois [11] vaquaient elles-
mêmes. Quand je suis assis là, l'idée patriarcale autour
de moi prend vie : je les revois, tous les Anciens qui font
connaissance et déclarent leur amour auprès de la
fontaine [12], je sens des esprits bienfaisants planer autour
des fontaines et des sources. Oh! il ne s'est jamais, après

une pénible marche sous un soleil d'été, réconforté
à la fraîcheur d'une fontaine, celui qui reste incapable de
partager mon sentiment.

Le 13 mai.

Tu demandes si tu dois m'envoyer mes livres! Mon
ami, je t'en conjure au nom du ciel, laisse-moi en paix
avec eux [13]. Je ne veux plus être guidé, excité, enflammé :
mon cœur bouillonnant ne déborde-t-il pas assez?
J'ai besoin d'un chant qui me berce et ce chant-là, je
l'ai trouvé en toute abondance dans mon Homère [14].
Que de fois j'apaise avec sa mélodie mon cœur tumultueux, car tu n'as jamais rien vu d'aussi changeant,
d'aussi inconstant que ce cœur. Ô mon ami, ai-je besoin
de te le dire, à toi qui tant de fois supportas la lourde
peine de me voir passer de l'accablement à l'extrava-
gance, et de la douce mélancolie à la pernicieuse passion ?
Aussi bien, je traite mon petit cœur comme un enfant
malade [15], je lui passe toutes ses volontés. Ne va pas le
redire : il est des gens qui m'en feraient un crime.

Le 15 mai.

Les bonnes gens du pays me connaissent déjà et ils
m'aiment bien, en particulier les enfants [16]. Au début,
lorsque je me joignais à eux et leur posais d'amicales
questions sur tel ou tel sujet, quelques-uns croyaient
que je voulais me moquer d'eux et il leur arrivait de
m'éconduire fort grossièrement. Je ne me laissais point
rebuter, mais je sentais de la façon la plus vive ce que
j'ai déjà souvent remarqué : les personnes d'un certain
rang se tiennent toujours avec froideur à distance des
gens du commun, comme s'ils croyaient perdre à leur
contact ; et puis il est des êtres sans cervelle et de mauvais plaisants qui feignent la condescendance pour que
leur arrogance ne soit ensuite que plus sensible aux
pauvres gens.

Je sais bien que nous ne sommes pas égaux, que nous
ne pouvons pas l'être ; mais je soutiens que celui qui,
pour maintenir le respect, croit nécessaire de s'éloigner
de ce qu'on appelle le peuple, est tout aussi blâmable
que le poltron qui devant l'ennemi se cache de peur
d'avoir le dessous.

Récemment, quand j'arrivai à la fontaine, je trouvai
une jeune servante qui, sa cruche posée sur la dernière
marche, cherchait des yeux une compagne capable de

l'aider à la mettre sur sa tête. Je descendis et la regardai : «Puis-je vous être utile, mademoiselle ? » demandai-je. Elle rougit jusqu'aux oreilles. « Oh! non, monsieur, dit-elle. — Sans façons! » Elle arrangea son coussinet et je lui vins en aide. Elle me remercia, puis remonta les marches.

Le 17 mai.

J'ai fait des connaissances de tous genres, mais je n'ai pas encore trouvé de société. Je dois avoir je ne sais quoi d'attirant pour les hommes ; il en est tant qui m'aiment et s'attachent à moi, et j'ai de la peine, quand je ne peux faire avec eux qu'un bout de route. Si tu me demandes comment sont les gens d'ici, je ne puis que te dire : « Comme partout! C'est chose bien uniforme que l'espèce humaine! La plupart des hommes perdent la plus grande partie de leur existence à travailler pour vivre et le peu de temps libre qui leur reste les angoisse au point qu'ils cherchent tous les moyens de s'en libérer : Ô destinée de l'homme! »

Mais ce sont de bien braves gens! Quand parfois je m'oublie moi-même, quand parfois je goûte avec eux les joies qui sont encore accordées à l'homme, comme celles d'être assis à une table gentiment garnie et d'échanger en toute franchise et cordialité des propos plaisants, d'organiser au bon moment une promenade, un bal, ou autres choses semblables, cela a sur moi un effet très heureux. Mais à condition de ne pas m'aviser que tant d'autres forces reposent encore en moi, qui se rouillent faute d'emploi et que je dois cacher avec soin [17]. Ah! tout cela me serre le cœur. Et pourtant c'est notre sort à tous que de n'être pas compris.

Ah! pourquoi l'amie de ma jeunesse n'est-elle plus ? Ah! pourquoi l'avoir jamais connue [18]!... Je me dirais : « Insensé! qui cherches ce qu'on ne peut trouver ici-bas. » Mais je l'ai connue, j'ai senti ce cœur, cette âme noble, en présence de laquelle j'avais le sentiment d'être plus que dans la réalité, parce que j'étais tout ce que je pouvais être. Dieu bon! Une seule force de mon âme restait-elle alors inutilisée ? Ne pouvais-je pas devant elle développer toute la merveilleuse sensibilité avec laquelle mon cœur embrasse la nature ? Notre commerce ne nous permettait-il pas d'échanger sans fin les plus fines sensations, les traits les plus acérés de l'esprit, dont les nuances portaient jusque dans leur excès le sceau du

génie ? Et maintenant ! Les années d'avance qu'elle avait
sur moi l'ont conduite avant moi au tombeau. Jamais je
ne l'oublierai, jamais je n'oublierai sa ferme raison et sa
divine indulgence.

Il y a peu de jours, j'ai rencontré un jeune homme du
nom de V..., adolescent d'esprit ouvert et doté d'une
très heureuse physionomie. Frais émoulu des universités, il ne se pique pas précisément d'être un sage, mais
il pense en savoir plus que d'autres. Il a d'ailleurs bien
travaillé, je m'en aperçois à toutes sortes de détails ;
bref, il a un joli bagage. Apprenant que je dessinais
beaucoup et que je savais le grec [19] — double phénomène en ce pays — il vint à moi et fit étalage de toute son
érudition, depuis Batteux [20] jusqu'à Wood [21], depuis
de Piles [22] jusqu'à Winckelmann [23], et m'assura qu'il
avait lu de bout en bout la théorie de Sulzer [24], la première partie, et qu'il possédait un manuscrit de Heyne [25]
sur l'étude de l'art antique. Je le laissai dire [26].

J'ai encore fait la connaissance d'un autre brave
homme, le bailli du prince [27], un cœur ouvert, loyal. On
dit que c'est une vraie joie pour l'âme de le voir au
milieu de ses enfants, au nombre de neuf ; on fait surtout
grand cas de sa fille aînée. Il m'a prié de lui rendre visite,
ce que je ferai un de ces prochains jours. Il habite un
pavillon de chasse du prince, à une lieue et demie d'ici ;
c'est après la mort de sa femme qu'il a obtenu la permission de s'y installer, car demeurer ici en ville, dans la
maison du bailliage, lui était trop douloureux.

A part cela j'ai rencontré quelques originaux bizarres,
chez qui tout est insupportable et plus insupportable que
tout leurs démonstrations d'amitié.

Porte-toi bien ! Cette lettre te conviendra, elle n'est
qu'historique.

Le 22 mai.

La vie humaine n'est qu'un songe : voilà une idée
qui est déjà venue à plus d'un homme [28], un sentiment
qui m'accompagne aussi en tout lieu. Quand je considère les limitations [29] imposées à nos forces actives
et à nos recherches, quand je constate que tous nos
efforts tendent à nous procurer la satisfaction de besoins
qui à leur tour n'ont pas d'autre objet que de prolonger
notre pauvre existence, et que sur certains points
de nos recherches tout apaisement n'est qu'une rêveuse
résignation, car nous ne faisons que peindre de figures

variées et de perspectives lumineuses les murs de notre prison... Tout cela, Wilhelm, me rend muet. Je rentre en moi-même et j'y trouve tout un monde. Mais à vrai dire il est pressentiment et désir obscur plus que vision et force vivante. Et alors, tout flotte devant mes sens et ainsi, souriant et rêvant, je poursuis ma route dans l'univers.

Que les enfants ignorent les vrais motifs de leurs actes, c'est un point sur lequel les plus doctes magisters et précepteurs sont tous d'accord ; mais que des adultes, eux aussi, errent en titubant sur cette terre et, semblables à des enfants, ne sachent ni d'où ils viennent ni où ils vont, que leurs actions tendent tout aussi peu à de véritables buts, et que tout comme eux, ils se laissent mener par des biscuits, du gâteau ou des verges, voilà ce que nul ne veut admettre et pourtant, me semble-t-il, on peut le toucher du doigt.

Je t'accorde volontiers, car je sais ce que là-dessus tu pourrais me dire : que ceux-là sont les plus heureux qui, semblables aux enfants, vivent au jour le jour, traînent partout avec eux leurs poupées, qu'ils déshabillent et rhabillent, rôdent pleins de respect autour du tiroir où leur maman a mis sous clef les sucreries, et, lorsqu'ils ont enfin happé l'objet de leur désir, le croquent à belles dents en s'écriant : « Encore ! encore ! ». Voilà d'heureuses créatures ! Ils sont heureux aussi, ceux qui donnent à leurs occupations de misère, voire à leurs passions, des titres pompeux, et les portent en compte à l'humanité comme de gigantesques opérations entreprises pour son salut et son bien-être. Tant mieux pour qui peut être ainsi ! Mais celui qui, en son humilité, reconnaît où tout cela conclut ; celui qui voit comment chaque bourgeois aisé s'entend à tailler son jardinet pour en faire un petit paradis, comment, sans se rebuter, l'homme dans le malheur lui aussi continue son chemin, en haletant sous le fardeau, et comment chacun éprouve le même intérêt à voir une minute de plus la lumière de notre soleil : oui, celui-là est en paix, car il se construit aussi son monde, en le tirant de lui-même, et il est également heureux parce qu'il est homme. Et puis, si à l'étroit qu'il soit, ne garde-t-il pas toujours en son cœur le doux sentiment de la liberté [30] ? Ne sait-il pas qu'il pourra quitter ce cachot quand il le voudra ?

Le 26 mai.

Tu connais de longue date ma façon de m'établir, de

m'installer une petite cabane [31] en quelque lieu familier, pour m'y installer et y vivre en toute simplicité. Ici encore j'ai trouvé une fois de plus un petit coin qui m'a séduit.

A une heure environ de la ville se trouve un lieu que l'on nomme Wahlheim * [32]. Sa situation au flanc d'une colline est pleine d'intérêt, et quand par le sentier d'en haut l'on sort du village, on embrasse soudain d'un seul regard toute la vallée. Une brave hôtesse, encore plaisante et alerte pour son âge, sert vin, bière ou café ; et ce qui l'emporte sur tout, ce sont deux tilleuls qui, étendant leur vaste ramure, recouvrent la petite place située devant l'église et tout enserrée de maisons paysannes, de granges et de cours. Un coin si familier, si intime n'est pas facile à trouver, et c'est là que de l'auberge je fais apporter ma petite table et ma chaise, que je prends mon café et lis mon Homère. Quand, par un bel après-midi, le hasard pour la première fois m'a mené sous les tilleuls, je trouvai le coin fort solitaire. Tout le monde était aux champs, si ce n'est qu'un petit garçon d'environ quatre ans, assis par terre, avait installé entre ses jambes un enfant qui pouvait bien avoir six mois, le serrait de ses deux bras contre sa poitrine, si bien qu'il lui servait pour ainsi dire de fauteuil et, en dépit de la vivacité avec laquelle ses yeux noirs regardaient tout autour, restait assis bien sagement.

Charmé par ce tableau, je m'assis sur une charrue qui se trouvait en face et dessinai ce groupe fraternel avec beaucoup de plaisir. J'ajoutai la haie voisine, une porte de grange et quelques roues de chariot brisées, tout cela pêle-mêle comme dans la réalité. Au bout d'une heure je trouvai que j'avais exécuté un dessin bien composé, plein d'intérêt, sans y avoir ajouté la moindre chose qui vînt de moi [33]. Cela me fortifia dans ma résolution de m'en tenir désormais uniquement à la nature. Elle seule est infiniment riche, elle seule forme le grand artiste. On peut dire à l'avantage des règles bien des choses, à peu près ce que l'on peut dire aussi à la louange de la société bourgeoise. En se conformant aux règles l'homme ne produira jamais rien d'insipide et de mauvais, tout comme celui qui se laisse modeler

---

* Note de Gœthe : Que le lecteur ne se donne pas la peine de chercher les lieux nommés ici ; on s'est vu contraint de dissimuler les vrais noms qui figurent dans l'original.

par les lois sociales et les bienséances ne deviendra
jamais un insupportable voisin, ni un remarquable
coquin ; par contre, quoi qu'on en dise, toute règle
détruira le sentiment vrai de la nature et son expression vraie [34]. Me diras-tu que ce jugement est trop
dur, que la règle se contente de poser des limites, de
tailler les vignes luxuriantes, etc. ? Cher ami, veux-tu
une comparaison ? Il en est de cela comme de l'amour.
Un jeune homme s'est attaché de tout cœur à une jeune
fille, il passe près d'elle toutes les heures du jour, il
gaspille toutes ses forces, toute sa fortune pour lui
exprimer à chaque instant qu'il se donne à elle tout
entier. Vienne un philistin, un homme exerçant une
fonction publique, qui lui dira : « Mon beau jeune
homme, aimer est humain, mais il vous faut aimer
humainement. Répartissez votre temps, donnez des
heures au travail et consacrez à votre maîtresse celles
qui sont réservées au délassement. Faites le compte de
votre fortune et sur ce qui vous reste, le nécessaire payé,
je ne vous interdis point de lui faire un cadeau, mais
pas trop souvent, par exemple pour son anniversaire et
pour sa fête. » Si notre amoureux l'écoute, on aura un
jeune homme fort utilisable, et je suggérerais tout de
suite à n'importe quel prince de le prendre dans son
conseil ; mais c'en est fait de son amour et, s'il est
artiste, de son art. Ô mes amis ! pourquoi le torrent du
génie déborde-t-il si rarement ? Pourquoi vient-il si
rarement, tumultueux et mugissant, ébranler vos âmes
étonnées ? Chers amis, voyez donc ces hommes pla-
cides qui ont établi leur demeure là, sur les deux
rives ; ils verraient emporter par les eaux les pavillons de
leurs jardins, leurs parterres de tulipes et leurs carrés de
choux, s'ils n'avaient à temps, grâce à des digues et à des
dérivations, détourné les périls qui dans l'avenir
pourraient les menacer [35].

Le 27 mai.

Je suis tombé, je le vois, dans l'extase, dans les
comparaisons et la déclamation et j'en ai oublié de te
conter de bout en bout ce qu'il advint des enfants. Tout
plongé dans les sensations artistiques que ma lettre
d'hier t'expose par fragments, je restai bien deux heures
assis sur la charrue. Voilà que, vers le soir, une jeune
femme [36] s'en vient droit aux enfants, qui de tout ce
temps-là n'avaient pas bougé ; un petit panier au bras,

elle crie de loin : « Philippe, tu es bien gentil! » Elle
me dit bonjour ; je la saluai à mon tour, me levai, m'approchai et lui demandai si elle était la mère des enfants.
Elle me dit : « Oui », et, en tendant au plus âgé la moitié
d'un petit pain, elle souleva le bébé, lui donna un baiser
plein d'amour maternel. « J'ai, dit-elle, donné à mon
Philippe le petit à garder, et je suis allée à la ville avec
mon aîné pour acheter du pain blanc, du sucre et un
poêlon en terre. » (Je voyais tout cela dans son panier,
dont le couvercle était tombé.) « Je veux faire ce soir une
petite soupe à mon Jeannot (c'était le nom du bébé) ;
mais mon grand étourneau d'aîné m'a cassé hier mon
poêlon en se disputant avec Philippe à qui raclerait le
reste de la bouillie. » Je m'enquis de l'aîné et elle venait
à peine de me dire qu'il poursuivait quelques oies dans
la prairie, qu'il arriva en sautant, rapportant au second
une baguette de coudrier. Je continuai à m'entretenir
avec la femme et j'appris qu'elle était la fille du maître
d'école, que son mari était parti pour la Suisse, afin de
recueillir l'héritage d'un cousin. « On voulait lui en faire
tort, dit-elle, et l'on ne répondait pas à ses lettres ; alors
il y est allé lui-même. Pourvu qu'il ne lui soit pas arrivé
malheur! Je suis sans nouvelles de lui. »

Il m'en coûtait de me séparer d'elle ; je donnai à
chacun des enfants un kreuzer [37] et un autre à elle pour
le plus petit, afin qu'elle lui rapporte, quand elle irait à la
ville, un petit pain blanc à manger avec sa soupe ; puis
nous nous quittâmes.

Je t'assure, ô cher ami, lorsque mes sens ne veulent
plus se contenir, ce qui apaise tout leur tumulte, c'est la
vue d'une telle créature qui parcourt, tranquille et
heureuse, le cercle étroit de son existence, se tire d'affaire
au jour le jour et voit tomber les feuilles sans rien
penser, sinon que l'hiver approche.

Depuis lors, je suis souvent là-bas. Les enfants sont
tout à fait habitués à moi ; ils ont du sucre quand je
prends mon café et le soir ils partagent avec moi les
tartines de beurre et le lait caillé. Tous les dimanches ils
ont leur kreutzer et si je ne suis pas là après l'heure de la
prière, l'hôtesse a ordre de le leur donner.

Ils me font confiance, me racontent toutes sortes de
choses et je m'amuse particulièrement de leurs petites
passions et de leurs simples accès de convoitise, quand
d'autres enfants du village se sont joints à eux.

J'ai eu bien de la peine à rassurer leur mère car elle

s'inquiétait à la pensée qu'ils pourraient incommoder le monsieur.

Le 30 mai [38].

Ce que je t'ai dit récemment de la peinture vaut certainement aussi pour la poésie : il suffit de reconnaître le beau et d'oser l'exprimer : il est vrai que c'est beaucoup dire en peu de mots. J'ai vécu aujourd'hui une scène dont l'exacte reproduction donnerait la plus belle idylle du monde. Mais à quoi bon poème, scène, idylle ? Faut-il donc toujours se donner tant de peine pour prendre part à une manifestation de la nature ?

Si, après cette entrée en matière, tu attends force traits remarquables et nobles, tu vas une fois de plus en être pour tes frais : ce n'est rien qu'un jeune paysan qui a éveillé en moi un vif intérêt. Je vais selon mon habitude te conter cela très mal et toi, comme toujours, tu vas trouver que j'exagère. C'est encore Wahlheim, toujours Wahlheim qui produit ces curiosités.

Des gens s'étaient rassemblés sous les tilleuls pour prendre le café. Comme ils n'étaient pas tout à fait de mon goût je trouvai un prétexte pour rester à l'écart.

Un jeune campagnard sortit d'une maison voisine et s'employa à réparer la charrue que j'avais dessinée l'autre jour [39]. Comme son air me plaisait, je lui adressai la parole, m'enquis de sa situation ; nous eûmes vite fait connaissance et, ainsi qu'il m'arrive d'ordinaire avec les gens de cette sorte, nous fûmes bientôt en confiance. Il me raconta qu'il était au service d'une veuve et fort bien traité par elle. Il m'en dit tant sur elle, me fit d'elle de tels éloges que je conclus bientôt qu'il lui était dévoué corps et âme. Elle n'était plus jeune, disait-il, et, ayant été assez mal traitée par son premier mari, elle ne voulait pas d'un second. Et de son récit il ressortait si clairement à quel point elle lui semblait belle et ravissante, combien il souhaitait qu'elle voulût bien le choisir pour effacer le souvenir des défauts de son premier mari, qu'il me faudrait te répéter une à une chacune de ses paroles, si je voulais te rendre sensibles la pure inclination de cet homme, son amour et sa fidélité. Oui, il me faudrait les dons du plus grand poète pour te peindre sur le vif tout à la fois l'expression de ses gestes, l'harmonie de sa voix, le feu secret de ses regards. Non, aucune parole ne redira la délicatesse qui était dans tout son être, dans toute son expression et tout ce que je pourrais te rapporter ne serait que lourdeur. Je fus particulièrement touché de voir combien il craignait que je puisse me faire de ses rapports avec elle une idée inexacte et douter de la bonne conduite de cette femme. A quel point j'étais ravi de l'entendre me parler de son allure et de son corps qui, bien qu'ayant perdu les charmes de la jeunesse, l'attirait avec force et le captivait, je ne puis me le rappeler qu'au plus profond de moi-même. De ma vie je n'ai vu le pressant désir, la passion ardente et impatiente à ce degré de pureté; j'irai jusqu'à dire que je ne les ai jamais imaginés ou rêvés dans une telle pureté. Ne me gronde pas si je t'avoue qu'au souvenir de cette innocence et de cette sincérité, je sens mon âme s'embraser jusqu'en son tréfonds, si je te dis que l'image de cette fidélité, de cette tendresse me poursuit partout et que, comme brûlé moi-même de ce feu, je languis et me consume.

Je vais maintenant chercher à voir cette femme sans tarder, ou plutôt, à y bien réfléchir, je m'en garderai. Il vaut mieux que je la voie par les yeux de son amoureux; peut-être n'apparaîtrait-elle pas à mes propres yeux telle qu'elle est maintenant là, devant moi; pourquoi donc me gâter cette belle image?

Le 16 juin.

Pourquoi je ne t'écris pas? Tu le demandes, et cependant, toi aussi, tu fais partie des savants. Tu devrais deviner que je me trouve bien, et cela parce que... En deux mots, j'ai fait une connaissance qui touche mon cœur de près. J'ai... ah! je ne sais...

Te narrer dans l'ordre comment j'en suis venu à connaître une des plus aimables créatures, voilà qui sera malaisé. Je suis satisfait, heureux et partant mauvais historien.

Un ange! Fi donc! C'est ce que chacun dit de la sienne, n'est-il pas vrai? Et pourtant je ne suis pas en état de te dire à quel point elle est parfaite, pourquoi elle est parfaite; bref elle a captivé tout mon être.

Tant de simplicité alliée à tant d'intelligence, tant de bonté alliée à tant de fermeté, et le calme de l'âme dans la véritable vie et dans l'activité...

Mais tout ce que je te dis d'elle n'est qu'affreux verbiage; ce sont de détestables abstractions qui n'ex-

priment pas un seul trait d'elle-même. Une autre fois...
Non, pas une autre fois, c'est tout de suite que je vais
te conter la chose. Si je ne le fais pas maintenant,
jamais je ne le ferai. Car, entre nous, depuis que j'ai
commencé cette lettre, trois fois déjà j'ai été sur le
point de poser la plume, de faire seller mon cheval et
de courir vers elle. Et pourtant je me suis juré, ce matin,
de ne point sortir, et pourtant je n'en vais pas moins à
tout instant à ma fenêtre pour voir à quelle hauteur
est encore le soleil...

Je n'ai pas pu y résister, il m'a fallu aller jusque chez
elle. Et me voici de retour, Wilhelm, je vais souper de
pain beurré et t'écrire. Quelles délices pour mon âme
de la voir entourée de ces chers enfants si éveillés,
ses huit frères et sœurs [40]!

Si je continue ainsi, tu seras, à la fin, aussi avancé
qu'au commencement. Écoute donc, je vais me faire
violence ᵥpour entrer dans les détails.

Je t'ai écrit récemment que j'avais fait la connaissance du bailli S... et qu'il m'avait prié d'aller le voir
prochainement dans son ermitage, ou plutôt dans son
petit royaume. J'avais négligé cette invitation et peut-
être n'y serais-je jamais allé, si le hasard ne m'avait
révélé le trésor qui se cache dans cet endroit si paisible.

Nos jeunes gens avaient organisé un bal à la campagne [41] et j'avais accepté d'être de la partie. Je m'offris pour accompagner une jeune fille d'ici, bonne et
belle, mais par ailleurs insignifiante, et on convint
que je louerais une voiture, qu'avec ma compagne et
sa cousine nous nous rendrions au lieu de la réjouissance et qu'en chemin nous prendrions Charlotte S... [42].
« Vous allez faire la connaissance d'une belle personne »,
fit ma compagne, tandis que par l'une des larges per-
cées de la forêt nous roulions vers le pavillon de chasse.
« Prenez garde d'en tomber amoureux! reprit la cousine. — Pourquoi donc? dis-je. — Elle est déjà promise, répondit la première, à un très brave homme, qui
est parti en voyage pour mettre ses affaires en ordre,
après la mort de son père et pour solliciter un emploi
important. » La nouvelle me fut assez indifférente.

Le soleil était encore à un quart d'heure de la montagne lorsque nous arrivâmes devant le portail de la
cour. Le temps était très lourd et ces dames expri-
maient leurs craintes d'un orage qui, sous la forme de
petits nuages grisâtres assez chargés, semblait se pré-

parer à l'horizon. Je dissipai leurs craintes en me donnant l'air d'un spécialiste du temps; néanmoins je commençais à penser que notre petite fête pourrait bien en pâtir.

J'étais descendu de voiture, mais une servante s'empressa au portail, pour nous prier d'attendre un instant : Mlle Lotte allait venir. Traversant la cour, je me dirigeai vers la maison, une belle construction, et lorsque, ayant gravi les marches du perron, je franchis le seuil, j'eus soudain devant les yeux le plus charmant spectacle que j'aie vu de ma vie. Dans l'antichambre six enfants de onze à deux ans s'agitaient autour d'une jeune fille bien faite, de taille moyenne, qui portait un simple vêtement blanc garni de nœuds d'un rose pâle aux bras et sur le devant. Elle tenait un pain noir et en coupait pour son petit monde des tranches qu'elle distribuait à la ronde; à chacun elle donnait avec toute sa gentillesse un morceau proportionné à son appétit et à son âge et chacun lui criait tout naturellement « Merci! », en levant ses petites mains bien haut, avant même que sa tranche eût été coupée. Puis, satisfaits de leur goûter, les enfants s'éloignèrent, les uns en gambadant, les autres avec la tranquillité d'un caractère plus calme, en direction du portail pour voir les étrangers et la voiture dans laquelle leur Lotte allait partir! « Je vous demande pardon, dit-elle, de vous avoir obligé à entrer et pardon encore de faire attendre ces dames. Ma toilette et toutes les instructions à donner pour la maison en mon absence m'ont fait oublier de distribuer le goûter aux enfants, qui ne veulent pas qu'une autre que moi leur coupe le pain. » Je lui fis un compliment insignifiant; mon âme s'abandonnait tout entière au charme de sa figure, de sa voix, de son attitude et j'eus à peine le temps de me remettre de ma surprise qu'elle courut dans la pièce voisine pour y prendre ses gants et son éventail. Les petits se tenaient à quelque distance et me regardaient de côté; j'allai droit au plus jeune, un enfant de la plus agréable physionomie. Il reculait, lorsque Lotte parut à la porte et lui dit : « Louis, donne la main à monsieur ton cousin! » Il le fit très franchement et je ne pus me retenir de l'embrasser de bon cœur malgré son petit nez morveux. « Cousin, dis-je en tendant la main à la jeune fille, me croyez-vous digne du bonheur d'être votre parent? — Oh!

fit-elle avec un espiègle sourire, notre cousinage est
très étendu et je serais bien fâchée si vous deviez être
le plus mauvais de la parenté ! » En partant elle chargea
Sophie, l'aînée des sœurs après elle, une fillette d'environ onze ans, de bien veiller sur les enfants et de
donner le bonsoir au papa, lorsqu'il rentrerait de sa
promenade à cheval. Aux petits elle dit d'obéir à leur
sœur Sophie comme à elle-même, ce que quelques-uns
d'ailleurs promirent expressément. Mais une maligne
blondinette futée d'à peu près six ans [43] dit : « Ce ne
sera quand même pas toi, Lotte, et c'est toi que nous
préférons. » Les deux aînés des garçons étaient grimpés
derrière la voiture : sur ma prière, elle leur permit de
faire ainsi route avec nous jusqu'à la lisière de la forêt,
s'ils promettaient de ne pas se taquiner et de se tenir
bien fermes.

Nous nous étions à peine installés, ces dames avaient
à peine échangé souhaits de bienvenue et remarques
sur leurs toilettes, en particulier sur leurs chapeaux,
puis passé en revue comme il se doit la société attendue
à la réunion, que Lotte pria le cocher d'arrêter et
fit descendre ses frères, qui demandèrent à lui baiser
la main une fois encore, ce qu'ils firent, l'aîné avec
toute la tendresse que l'on peut avoir à l'âge de quinze
ans, l'autre avec beaucoup de vivacité et de légèreté.
Elle les chargea encore d'embrasser les petits et nous
continuâmes notre route.

Sa cousine lui demanda si elle avait terminé le livre
qu'elle lui avait récemment envoyé. « Non, dit Lotte,
il ne me plaît pas, vous pouvez le reprendre. Et le
précédent ne valait pas mieux. » Je lui demandai quel
genre d'ouvrages c'était et je fus bien surpris quand
elle me répondit * : ... Je trouvais infiniment de per-
sonnalité dans toutes ses paroles, je voyais, à chaque
mot, de nouveaux charmes, de nouveaux rayons d'intelligence jaillir sur les traits de son visage, qui peu à
peu semblait s'épanouir de joie, parce qu'elle sentait
que je la comprenais.

« Lorsque j'étais plus jeune, dit-elle, je ne mettais
rien au-dessus des romans. Dieu sait quel bonheur

---

* Note de Gœthe : Nous nous voyons contraint de supprimer ce
passage de la lettre, pour ne donner à personne lieu de se plaindre,
bien qu'au fond aucun écrivain ne puisse attacher quelque importance au jugement d'une jeune fille et d'un jeune homme à l'esprit
changeant.

j'éprouvais, le dimanche, à m'asseoir dans un coin pour prendre part, de tout mon cœur, aux joies et aux infortunes d'une quelconque Miss Jenny [44]. Je ne nie point non plus que ce genre n'ait encore quelques charmes pour moi; mais, ayant rarement le temps de prendre un livre, je veux en revanche qu'il soit de mon goût. Et l'auteur que je préfère est celui où je retrouve le monde qui est le mien, celui chez qui tout se passe comme autour de moi et dont l'histoire pourtant éveille autant mon intérêt et touche autant mon cœur que ma propre vie familiale, une vie qui certes n'est pas un paradis, mais qui n'en est pas moins en somme une source d'indicible félicité. »

Je m'efforçai de cacher l'agitation que ces paroles faisaient naître en moi, mais je n'y arrivai guère, car, l'entendant parler en passant avec beaucoup de justesse du *Vicaire de Wakefield* [45], de * ..., je ne pus me contenir, je lui dis tout ce qu'il me fallait exprimer, et je ne m'aperçus qu'au bout de quelque temps, quand Lotte reprit la conversation avec les autres personnes, que celles-ci pendant tout ce temps avaient ouvert de grands yeux, assises là comme si elles n'y étaient pas. La cousine me regarda plus d'une fois, la mine railleuse, mais peu m'importait.

La conversation tomba sur le plaisir de la danse. « Même si cette passion est un défaut, dit Lotte, je vous avouerai volontiers que pour moi danser l'emporte sur tout le reste. Et lorsque j'ai quelques ennuis en tête, il me suffit de tapoter sur mon clavecin désaccordé une contredanse pour que, de nouveau, tout aille bien. »

Comme je dévorais du regard ses yeux noirs [47] durant tout cet entretien! Comme elles attiraient toute mon âme, ses lèvres vivantes et ses joues fraîches et animées! Et que de fois, absorbé par son discours, dont le sens me paraissait merveilleux, je n'entendais même pas les paroles dont elle se servait! tout cela, tu peux te le représenter, parce que tu me connais. Bref, je descendis de voiture comme en rêve; lorsque nous nous arrêtâmes devant la maison où la fête avait lieu, et au milieu d'un monde crépusculaire, j'étais à

---

* Note de Gœthe : Ici également on a supprimé les noms de quelques auteurs nationaux [46]. Celui d'entre eux qui a sa part des éloges de Lotte le sentira certainement dans son cœur, s'il lui arrive de lire ce passage ; par ailleurs personne n'a besoin de le savoir.

ce point perdu dans mes rêveries, que je fis à peine attention à la musique dont les sons, venus de la grande salle illuminée, descendaient jusqu'à nous.

Les deux hommes, M. Audran et un certain X. Y. (comment retenir tous ces noms!), qui étaient les cavaliers de la cousine et de Lotte, nous accueillirent à la portière, s'emparèrent de leurs danseuses et je conduisis la mienne au premier étage.

Nous voilà, évoluant en des menuets dont les figures s'entrelaçaient. J'invitai une dame après l'autre, et c'étaient précisément les plus désagréables qui ne pouvaient se décider ni à vous donner la main, ni à en finir. Lotte et son cavalier commencèrent une anglaise, et ce que fut mon bonheur, quand vint son tour de faire une figure avec nous, tu peux le ressentir. C'est à la danse qu'il faut la voir! Vois-tu, elle s'y donne tellement, de tout son cœur, de toute son âme; tout son corps est alors un ensemble si harmonieux, si insouciant et si naturel qu'on dirait qu'au fond danser est tout pour elle, qu'elle n'a plus d'autres pensées, d'autres sentiments; à cet instant-là certainement tout ce qui n'est pas la danse disparaît à ses yeux.

Je lui demandai de m'accorder la seconde contredanse: elle me promit la troisième et, avec la plus aimable franchise du monde, elle m'assura qu'elle dansait l'allemande [48] de grand cœur. « C'est la mode ici, poursuivit-elle, que pour l'allemande chaque couple qui s'accorde ne se sépare pas; or mon cavalier valse mal et me sera reconnaissant de lui épargner cette corvée. Votre cavalière ne connaît pas la valse, ne l'aime pas, et j'ai vu, en dansant l'anglaise, que vous valsez bien; si donc vous voulez être avec moi pour l'allemande, allez me demander à mon cavalier et moi je vais trouver votre dame. » Je lui touchai la main en signe d'accord et il fut convenu que pendant ce temps-là son partenaire tiendrait compagnie à ma cavalière.

Alors on commença et nous prîmes un instant plaisir à varier les passes de bras. Quel charme, quelle légèreté dans ses mouvements! Quand on en vint à valser, quand, telles les sphères célestes, les couples tournoyèrent les uns autour des autres, il y eut certes au début quelque confusion parmi eux, car la plupart ne s'y entendaient pas. Nous eûmes la sagesse d'attendre que leur fougue se fût épuisée; puis, lorsque les plus maladroits eurent quitté la place, nous nous lançâmes et avec un autre couple, Audran et sa cavalière, nous tînmes vaillamment jusqu'au bout. Jamais je n'ai évolué avec autant de légèreté. Je n'étais plus un être humain. Tenir dans ses bras la plus aimable des créatures et tourbillonner avec elle comme dans un vent de tempête au point que tout s'anéantisse autour de vous, ah! Wilhelm, pour être franc, je n'en fis pas moins le serment qu'une jeune fille à qui je prétendrais, sur qui j'aurais des droits, jamais je ne la laisserais valser avec un autre que moi, au risque d'en périr. Tu me comprends!

Nous fîmes en marchant quelques tours dans la salle pour reprendre haleine. Puis elle s'assit et les oranges [49] que j'avais mises de côté, les seules qu'il y eût encore, firent un excellent effet, si ce n'est que chaque fois que par politesse elle offrait une tranche à quelque indiscrète voisine, je me sentais le cœur transpercé.

A la troisième contredanse anglaise, nous formions le second couple. Alors que nous descendions en dansant la double haie formée par les autres couples, et que, Dieu sait avec quelles délices, j'étais suspendu à son bras, à ses yeux, qu'emplissait l'expression la plus vraie du plaisir le plus franc et le plus pur, nous arrivâmes près d'une dame dont la mine aimable, sur un visage qui n'était plus de toute première jeunesse, avait suscité ma curiosité. Cette personne regarde Lotte en souriant, lève un doigt menaçant et, tandis que, rapides, nous passons, elle prononce par deux fois avec insistance un nom : Albert!

« Qui est Albert, dis-je à Lotte, s'il n'est pas trop audacieux de vous le demander ? » Elle allait me répondre, lorsque nous dûmes nous séparer pour faire la grande chaîne à huit [50], et il me sembla voir l'ombre de quelque préoccupation sur son front, quand au cours de cette figure nous nous croisions. « Pourquoi vous le dissimuler ? dit-elle, en me tendant la main pour la promenade. Albert est un excellent homme, à qui je suis pour ainsi dire promise [51]. » Or, cette nouvelle n'en était pas une pour moi (les jeunes filles m'avaient renseigné en cours de route), et pourtant ce fut pour moi tout nouveau, car dans ma pensée ne s'était pas encore établi le rapport avec cette jeune fille qui, en si peu d'instants, m'était devenue si chère. Bref, je me troublai, j'oubliai la danse, je fis la passe

avec un couple qui n'était pas le bon, si bien que tout
fut sens dessus dessous et qu'il fallut toute la présence
d'esprit de Lotte, qui nous tirait de-ci, de-là, pour
rétablir rapidement l'ordre.

La danse n'avait pas encore pris fin, quand les éclairs,
qui depuis longtemps fulguraient à l'horizon et que
j'avais toujours donnés pour des éclairs de chaleur,
commencèrent à devenir plus violents, tandis que le
tonnerre couvrait le bruit de la musique. Trois dames
s'enfuirent des rangs et leurs cavaliers les suivirent; le
désordre devint général, la musique cessa. Il est naturel,
lorsqu'un malheur ou quelque événement terrible nous
surprend en pleine réjouissance, qu'il nous impres-
sionne avec plus de force, de par le contraste qui se
fait vivement ressentir et plus encore parce que nos
sens, déjà ouverts aux émotions, reçoivent une impression d'autant plus rapide. C'est à ces causes qu'il me
faut attribuer les attitudes étranges que prirent brusquement plusieurs dames. La plus avisée s'assit dans
un coin, le dos à la fenêtre, et se boucha les oreilles.
Une autre s'agenouilla devant elle et se cacha le visage
dans le sein de la première. Une troisième se glissa
entre elles, entoura de ses bras ses sœurs malheureuses
et versa mille pleurs. Quelques-unes voulaient rentrer
chez elles ; d'autres, sachant encore moins ce qu'elles
faisaient, avaient trop perdu la tête pour mettre un frein
aux audaces de nos jeunes gaillards, qui semblaient
fort occupés à cueillir sur les lèvres des belles affligées
les anxieuses prières destinées au ciel. Quelques messieurs étaient descendus fumer une pipe en toute tranquillité et le reste de la société ne protesta pas, quand
l'hôtesse eut la bonne idée de nous donner une chambre
pourvue de volets et de rideaux. A peine y étions-nous
que voici Lotte occupée à former une rangée de chaises;
elle pria tout le monde de s'y asseoir et proposa un jeu.

J'en voyais plus d'un qui, dans l'espoir d'un gage
savoureux, faisait la bouche en cœur et bombait le
torse. « Nous jouons à compter, dit-elle. Et attention!
Je fais le tour, de droite à gauche, et vous comptez
aussi, l'un après l'autre, chacun disant le nombre qui
lui échoit, et cela doit marcher comme un feu roulant ;
quiconque reste court ou se trompe reçoit une gifle,
et nous irons ainsi jusqu'à mille. » Ce fut alors bien
drôle à voir. Elle partit, le bras tendu, pour faire le
tour. « Un », commença le premier ; « deux », conti-

nua le second, « trois », le troisième, et ainsi de suite.
Puis elle se mit à marcher plus vite, de plus en plus
vite. Alors un des joueurs se trompa, « Paf! », une
gifle [52], et le suivant aussi, à cause des rires, « Paf! »
et toujours plus rapidement. Moi-même je reçus
deux tapes et je crus, avec une intime satisfaction,
remarquer qu'elles étaient plus fortes que pour les
autres, que l'on me faisait meilleure mesure. Un
immense éclat de rire, une agitation générale mirent
fin au jeu avant même que l'on en fût à mille. Les
couples les plus intimes se retirèrent à l'écart ; l'orage
était passé et je suivis Lotte dans la grande salle.
En chemin elle me dit : « Les gifles leur ont fait oublier le tonnerre et tout le reste. » Je ne pus rien lui
répondre. Elle poursuivit : « J'étais l'une des plus
craintives et en faisant la vaillante pour donner du
courage aux autres je suis devenue moi-même coura-
geuse. » Nous nous mîmes à la fenêtre. Le tonnerre
s'éloignait, une pluie merveilleuse tombait à petit
bruit sur la campagne et la plus vivifiante senteur
montait jusqu'à nous avec tous les flots d'un air chaud.
Appuyée sur son coude, elle parcourait du regard la
contrée environnante ; ses yeux se levèrent vers le ciel,
puis sur moi — ils étaient pleins de larmes. Elle posa
sa main sur la mienne et dit : « Klopstock [53] ! »— Je me
rappelai aussitôt l'ode magnifique [54] qui occupait sa
pensée et je m'abîmai dans le flux d'émotions qu'avec
ce mot unique elle déversait sur moi. Je n'y tins plus,
je m'inclinai sur sa main et la baisai en répandant les
plus délicieuses des larmes. Et de nouveau je regardai
ses yeux... Ô noble poète! que n'as-tu donc pu voir
dans ce regard ton apothéose! et puissé-je maintenant
ne jamais plus entendre prononcer ton nom si souvent
profané [55].

Le 19 juin.

Où en étais-je resté de mon récit dans ma récente
lettre ? Je ne le sais plus ; je me rappelle seulement qu'il
était deux heures du matin quand je me suis couché et
que, si j'avais pu bavarder avec toi au lieu de t'écrire, je
t'aurais tenu là peut-être jusqu'au jour.

Ce qui s'est passé à notre retour du bal, je ne te l'ai
pas encore raconté, et ce n'est pas non plus aujourd'hui
que je pourrai le faire.

C'était le plus magnifique des levers de soleil. Autour

de nous la forêt ruisselant goutte à goutte et la campagne rafraîchie! Nos compagnes inclinaient la tête. Lotte me demanda si je ne voulais pas en faire autant, ajoutant que je n'avais pas à me soucier d'elle. « Tant que je verrai ces yeux ouverts, dis-je en la regardant fixement, il n'y a pas de danger! » Et tous deux nous avons tenu bon jusqu'à sa porte, où la servante, venue ouvrir tout doucement, répondit à ses questions en l'assurant que le père et les enfants se portaient bien et que tous dormaient encore. Alors je la quittai en lui demandant la permission de la revoir dans la journée [56]. Elle me l'accorda; j'y suis allé et depuis ce temps-là soleil, lune, étoiles peuvent bien continuer leur ronde à leur gré, je ne sais ni quand il fait jour ni quand il fait nuit, et le monde entier s'évanouit autour de moi.

Le 21 juin.

Je vis des journées aussi heureuses que celles que Dieu réserve à ses élus et quoi qu'il advienne de moi je ne pourrai pas dire que je n'ai pas goûté les joies de la vie, les plus pures de ses joies. — Tu connais mon Wahlheim; j'y suis tout à fait établi, à une demi-heure seulement de chez Lotte, j'y jouis de moi-même et de tout le bonheur donné à l'homme.

Aurais-je pu penser, quand j'ai choisi Wahlheim pour but de mes promenades, qu'il était si près du ciel! Ce pavillon de chasse, qui à présent enclôt tous mes désirs, que de fois, dans mes longues courses, ne l'ai-je pas vu, tantôt de la montagne tantôt de la plaine, par-dessus le fleuve!

Mon cher Wilhelm, j'ai fait toutes sortes de réflexions sur ce désir qui pousse l'homme à s'étendre, à faire de nouvelles découvertes, à courir le monde, et d'autres inversement sur l'instinct profond qui l'amène à accepter volontairement d'étroites limites, à suivre l'ornière de l'habitude, sans s'inquiéter de ce qui est à droite ou à gauche [5].

Chose étrange : lorsque j'arrivai ici et que du haut de la colline je plongeai mes regards dans cette belle vallée, tout ce qui m'environnait m'attirait. — Là-bas, ce petit bois! — Ah! que ne peux-tu mêler ton ombre aux siennes! — Là-bas la cime de cette montagne! — Ah! que ne peux-tu, de là, embrasser cette vaste contrée! — Et ces collines enchaînées l'une à l'autre, et ces vallons intimes! — Oh! que ne puis-je me perdre en eux! —

J'y courais et je m'en revenais sans avoir trouvé ce que j'espérais. Il en est, hélas! des lointains comme de l'avenir! Un monde immense et nébuleux s'étend devant notre âme, notre sensibilité s'y plonge et s'y perd comme notre regard et nous aspirons à donner tout notre être pour que la volupté d'un unique, d'un grand, d'un magnifique sentiment nous emplisse entièrement. Et, hélas! lorsque nous y courons, lorsque là-bas est devenu ici, tout est après comme avant, nous restons là dans notre pauvreté, dans nos étroites limites et notre âme assoiffée se tend vers le breuvage rafraîchissant qui lui a échappé.

C'est ainsi que le plus inquiet des vagabonds finalement aspire à revoir son pays, où il trouve dans sa chaumière, sur le sein d'une épouse, dans le cercle de ses enfants, dans les tâches imposées pour leur subsistance, la félicité qu'il avait en vain cherchée dans le vaste monde.

Quand le matin je sors au lever du jour pour aller vers mon cher Wahlheim, et que, là-bas, dans le jardin de l'auberge, je cueille moi-même mes pois gourmands, puis vais m'asseoir pour les effiler tout en lisant parfois Homère, quand ensuite dans la petite cuisine je me choisis un pot, prends un peu de beurre, approche les pois du feu, les recouvre, et m'installe tout près pour les retourner de temps en temps, alors prennent vie dans mon cœur les prétendants outrecuidants de Pénélope qui égorgent les bœufs et les porcs, les dépècent et les font rôtir [58]. Il n'est rien qui me remplisse d'un sentiment plus paisible et plus vrai que ces traits de mœurs patriarcales que, Dieu soit loué! je puis sans affectation mêler à la trame de ma vie.

Combien je suis heureux d'avoir un cœur capable de ressentir la simple et innocente félicité de l'homme qui, mettant sur sa table un chou qu'il a cultivé lui-même, savoure non seulement ce chou, mais aussi toutes les bonnes journées vécues, la belle matinée où il le planta, les agréables soirées où il l'arrosa en se réjouissant de le voir croître sans arrêt, et les savoure toutes en un *seul* instant!

Le 29 juin.

Avant-hier le médecin de la ville est venu chez le bailli et m'a trouvé assis à terre au milieu des enfants de Lotte ; quelques-uns me grimpaient sur le dos [59], d'autres me taquinaient, tandis que moi, je les chatouillais et menais avec eux grand tapage. Le docteur, une espèce de pantin très dogmatique, qui en parlant refait les plis de ses manchettes et ne cesse de tirer et d'étaler son jabot, trouva la chose au-dessous de la dignité d'un homme de bon sens et je le vis froncer le nez. Mais moi, je ne me dérangeai pas le moins du monde, je le laissai débiter ses très raisonnables dissertations et refis les châteaux de cartes que les enfants avaient démolis. Aussi s'en alla-t-il par la ville en déplorant que Werther achevât de gâter les enfants du bailli, qui étaient déjà si mal élevés.

Oui, cher Wilhelm, rien sur terre n'est plus près de mon cœur que les enfants. Lorsque je les observe et que, dans un tel petit être je vois les germes de toutes les vertus, de toutes les énergies dont ils auront tant besoin un jour ; quand j'aperçois dans leur entêtement une future constance et fermeté de caractère, dans leur espièglerie la bonne humeur et la légèreté qui leur seront nécessaires pour glisser par-dessus les dangers de ce monde, et tout cela si sain, si intact ! — toujours, je me répète les paroles d'or de notre grand maître de la sagesse humaine « Si vous ne devenez comme l'un de ces petits [60] ». Eh ! bien ! mon très cher, ces enfants qui sont nos égaux et que nous devrions regarder comme nos modèles, nous les traitons comme des sujets. Nous leur refusons le droit d'avoir la moindre volonté — n'avons-nous donc pas la nôtre ! — Et pourquoi ce privilège ! Parce que nous sommes plus âgés et plus sensés ! — Dieu de bonté, du haut de ton ciel tu vois de vieux enfants et de jeunes enfants, rien de plus ; et ceux qui te donnent le plus de joies, ton Fils nous les a désignés depuis longtemps. Mais les hommes croient en lui et ne l'écoutent pas — encore une vieille histoire ! — et ils forment leurs enfants à leur image et [61]... Adieu, Wilhelm, je ne veux pas radoter plus longtemps là-dessus.

Le 1er juillet.

Ce que Lotte doit être pour un malade, je le sens à mon propre cœur malheureux, plus mal en point que tel patient qui se consume sur son lit de douleur. Elle passera quelques jours en ville auprès d'une brave femme qui, au dire des médecins, touche à sa fin et veut, en ces derniers moments, avoir Lotte à ses côtés [62]. La semaine dernière j'ai rendu visite avec elle au pasteur

de St ... [63], petit village à une heure d'ici, dans la montagne. Nous y arrivâmes vers quatre heures. Lotte avait
amené la seconde de ses sœurs. Quand nous pénétrâmes
dans la cour du presbytère, qu'ombragent deux grands
noyers, le bon vieillard était assis sur un banc, devant
sa porte : il vit Lotte et parut aussitôt animé d'une vie
nouvelle, il oublia son bâton noueux, osa se lever pour
aller à sa rencontre. Elle courut à lui, le contraignit à
se rasseoir et prenant place à son côté lui transmit bien
des amitiés de son père, cajola le dernier-né, un affreux
et sale petit garçon qui était l'enfant gâté du vieillard.
Ah! il t'aurait fallu voir comment elle s'occupait de lui,
élevant la voix pour se faire entendre de sa demi-surdité,
lui parlant de robustes jeunes gens morts soudainement,
de l'excellence des eaux de Carlsbad pour louer sa
décision de s'y rendre l'été prochain, déclarant qu'il
avait bien meilleure mine et qu'il était bien plus alerte
que lors de sa dernière visite. J'avais pendant ce temps
fait mes politesses à la femme du pasteur. Le vieillard
était tout ragaillardi et comme je n'avais pu m'empêcher
de louer les beaux noyers [64] qui nous ombrageaient si
agréablement, il se mit non sans difficulté à nous en
conter l'histoire. « Le plus vieux, dit-il, nous ne savons
pas qui l'a planté ; ceux-ci nomment tel pasteur et ceux-
là, tel autre. Mais le plus jeune, là derrière, a l'âge de ma
femme, cinquante ans en octobre. Son père le planta le
matin du jour où elle naquit, vers le soir. C'était mon
prédécesseur dans le pastorat : à quel point il aimait cet
arbre, on ne saurait le dire et moi je ne l'aime certainement pas moins. Ma femme était assise sur une poutre à
l'ombre de ses branches et tricotait lorsque, il y a vingt-
sept ans, le pauvre étudiant que j'étais pénétra pour la
première fois ici, dans cette cour. » Lotte s'enquit de sa
fille : on nous dit qu'elle était allée dans la prairie avec
M. Schmidt pour voir les faneurs. Poursuivant son récit,
le vieillard nous raconta comment son prédécesseur
l'avait pris en affection, sa fille aussi, et comment il était
devenu d'abord son vicaire, puis son successeur.
L'histoire venait à peine de finir, lorsque la demoiselle,
fille du pasteur, arriva par le jardin en compagnie de
M. Schmidt. Elle souhaita la bienvenue à Lotte avec une
chaleureuse cordialité et je dois dire qu'elle ne me plut
pas mal : une petite brune, vive et bien faite, qui vous
serait pour quelque temps à la campagne une fort
agréable distraction. Son soupirant (car c'est ainsi que

M. Schmidt se présenta tout de suite) était un homme distingué mais taciturne, qui ne voulut point se mêler à nos entretiens, bien que Lotte ne cessât de l'y entraîner. Ce qui me chagrina le plus, ce fut qu'il me sembla remarquer à sa physionomie que c'était l'entêtement et la mauvaise humeur, plus qu'une intelligence bornée, qui le rendait si peu communicatif. Par la suite, cela ne devint, hélas! que trop clair ; car lorsque le cours de la promenade amena Frédérique [65] à marcher auprès de Lotte et parfois aussi à mes côtés, le visage de ce monsieur, au teint déjà brunâtre, s'assombrit si visiblement qu'il était grand temps que Lotte, me tirant doucement par la manche, me donnât à comprendre que je faisais trop l'aimable avec Frédérique. Or, rien ne m'irrite plus que de voir les hommes se tourmenter les uns les autres, surtout des jeunes gens à la fleur de l'âge, qui pourraient être le plus ouverts à toutes les joies, et se gâtent mutuellement par des sottises leurs quelques beaux jours, pour ne comprendre que trop tard combien leur gaspillage a été irréparable. Cela me rongeait le cœur et lorsque, revenus vers le soir dans la cour du presbytère, nous eûmes pris place à table pour consommer des laitages, et que l'on en vint à parler des plaisirs et des douleurs de ce monde, je ne pus m'empêcher de saisir la balle au bond et de parler avec chaleur contre la mauvaise humeur. « Nous autres, hommes, nous nous plaignons souvent, commençai-je, qu'il y ait si peu de beaux jours et tant de mauvais, et cela, me semble-t-il, le plus souvent à tort. Si nous avions sans cesse le cœur ouvert pour jouir du bien que Dieu chaque jour nous réserve, nous aurions assez de force aussi pour supporter le mal, quand il vient. — Notre âme n'est pas en notre pouvoir, répliqua la femme du pasteur. Que de choses dépendent du corps! Qui mal se porte n'est bien nulle part. » Je le lui concédai. « Nous allons donc, poursuivis-je, considérer cela comme une maladie et nous demander s'il n'est pour elle point de remède. — Voilà qui est bien parlé, dit Lotte ; je crois, à tout le moins, que beaucoup de choses dépendent de nous. Je le sais par moi-même. Quand quelque chose m'agace et peut me contrarier, je bondis au jardin, je l'arpente en chantant quelques contredanses et c'est aussitôt passé. — C'était précisément ce que je voulais dire, répliquai-je : il en est de la mauvaise humeur tout comme de la paresse, car c'est une sorte de paresse. Nous y tendons par nature et cependant il suffit d'avoir un jour assez de force pour prendre une décision virile, pour que notre travail avance vivement et que nous trouvions dans l'activité une véritable satisfaction. » Frédérique écoutait avec une grande attention et le jeune homme m'objecta que l'on n'est pas maître de soi-même et que c'est à ses sentiments que l'on peut le moins commander. « Il n'est ici question que d'un sentiment désagréable, ripostai-je, et dont chacun est bien aise de se libérer ; or, nul ne sait jusqu'où vont ses forces, tant qu'il ne les a pas mises à l'épreuve. Et assurément celui qui est malade ira consulter tous les médecins et ne repoussera pas les plus grandes privations, les potions les plus amères, dans l'espoir de recouvrer la santé désirée. » Je remarquai que le brave vieillard faisait effort et tendait l'oreille pour prendre part à notre discussion ; aussi élevai-je la voix et lui adressai-je directement la parole. « On prêche contre tant de vices, dis-je, je n'ai jamais entendu dire que du haut de la chaire on ait attaqué la mauvaise humeur *. — Ce serait aux pasteurs des villes à le faire, dit-il, car les paysans ignorent la mauvaise humeur ; mais, de temps en temps, cela ne ferait pas de mal non plus, ce serait une leçon pour ma femme, en tout cas, et pour monsieur le bailli. » Tout le monde se mit à rire, lui aussi et de bon cœur, jusqu'à ce qu'il fût pris d'une quinte de toux, qui interrompit quelque temps nos discours ; après quoi, le jeune homme reprit la parole : « Vous avez appelé la mauvaise humeur un vice, il me semble que c'est exagéré. — Pas le moins du monde, répondis-je, si toutefois ce par quoi l'on nuit à soi-même et à son prochain mérite ce nom. Ne suffit-il pas que nous ne puissions pas nous rendre heureux les uns les autres ? Et faut-il en outre que nous nous ravissions mutuellement le plaisir que tout cœur peut encore parfois se procurer à lui-même ? Nommez-moi donc l'homme atteint de mauvaise humeur et qui soit assez bon pour la dissimuler, pour la supporter tout seul, sans détruire la joie autour de lui ! Ou bien n'est-ce pas plutôt qu'il y a en nous le sentiment pénible de notre indignité et que nous sommes mécontents de nous-mêmes, ce qui s'accompagne toujours d'une jalousie attisée par une sotte vanité ? Nous voyons des gens heureux, dont nous

---

* Note de Gœthe : Nous avons maintenant sur ce *thème* un excellent sermon de Lavater [66] parmi ceux qu'il a composés sur le Livre de Jonas.

ne faisons pas le bonheur, voilà ce qui est intolérable. »
Lotte me regardait en souriant, car elle voyait l'émotion avec laquelle je parlais, et une larme dans les
yeux de Frédérique m'incita à poursuivre. « Malheur,
dis-je, à ceux qui se servent de l'empire qu'ils ont sur
un cœur pour lui ravir les joies simples qui germent de ce
cœur même ! Tous les cadeaux, toutes les amabilités du
monde ne remplacent pas un instant de joie pure, que
la mauvaise humeur de notre envieux tyran nous a
empoisonné. »

Mon cœur tout entier en ce moment débordait ; tant
de souvenirs du passé [67] assaillaient mon âme que les
larmes me vinrent aux yeux.

« Pourquoi, m'écriai-je, chacun ne se dit-il pas chaque
jour : tu n'as d'autre pouvoir sur tes amis que de leur
laisser leurs joies et d'accroître leur bonheur en le
savourant avec eux. Es-tu en mesure, lorsqu'ils sont
tourmentés jusqu'au fond de leur âme par une angois-
sante passion, intérieurement bouleversés par le chagrin,
de leur apporter un peu de soulagement ?

« Et quand la suprême maladie, la plus effrayante de
toutes, s'abattra sur la pauvre créature que dans la
fleur de ses jours tu auras minée, quand celle-ci, étendue
dans un lamentable épuisement, tournera vers le ciel
un regard déjà privé de sentiment, tandis que par instants la sueur de la mort mouillera son front blême ;
alors quand toi, debout devant son lit comme un damné,
tu sentiras au plus profond de toi-même qu'avec tout
ton pouvoir tu ne peux rien, alors ton âme se contrac-
tera d'angoisse, au point que tu voudrais tout donner
pour faire pénétrer en cet être qui sombre une goutte de
tonique, une étincelle de courage. »

Le souvenir d'une scène semblable à laquelle j'avais
assisté m'accabla, à ces mots, de toute sa violence. Je
portai mon mouchoir à mes yeux et quittai la société.
Seule, la voix de Lotte me criant que nous allions partir,
me fit revenir à moi. Et comme elle m'a grondé en route
pour le trop chaleureux intérêt que je prends à tout ; elle
me supplia de me ménager, me disant que tout cela
causerait ma perte. Oh ! quel ange ! Par amour pour toi il
faut que je vive !

Le 6 juillet.

Elle est toujours auprès de son amie mourante et
elle est toujours la même, la douce et toujours présente

créature qui, partout où elle porte les yeux, apaise la
souffrance et répand le bonheur. Elle devait aller se
promener hier soir avec Marianne et la petite Mélie [68],
je l'avais appris. Je les rejoignis et nous fîmes route
ensemble. Revenant vers la ville après une heure et
demie de marche, nous arrivâmes à la fontaine qui
m'était déjà si chère, et qui m'est à présent mille fois
plus chère encore. Lotte s'assit sur le petit mur et nous
restâmes debout devant elle. Je regardai aux alentours,
ah! il surgit à nouveau devant mes yeux le temps où mon
cœur était si seul. « Chère fontaine, dis-je, depuis lors je
ne me suis plus reposé auprès de ton onde fraîche, et
parfois même je passai rapidement devant toi sans te
regarder. » Abaissant alors mes regards, je vis la petite
Mélie remonter très affairée avec un verre d'eau. Je
regardai Lotte, et je sentis tout ce que je possédais en
elle. Cependant Mélie arrivait avec son verre. Marianne
voulut le lui prendre. « Non, s'écria l'enfant avec la plus
douce expression, non, chère Lotte, c'est à toi de boire
la première. » — La vérité et la tendresse de cette excla-
mation me ravirent au point que pour exprimer mon
sentiment je ne pus que soulever de terre et embrasser
vivement la fillette, qui se mit aussitôt à crier et à pleurer.
« Vous avez mal agi », dit Lotte. Je restai interdit. « Viens,
Mélie, continua-t-elle en la prenant par la main et en
lui faisant descendre les marches ; tiens, lave-toi à l'eau
fraîche de la source, vite, vite, et ce ne sera rien. »
Planté là, je regardai avec ardeur l'enfant qui se frottait
les joues de ses menottes mouillées, convaincue que
cette eau merveilleuse laverait toute souillure et efface-
rait d'elle la honte de voir pousser une vilaine barbe.
Lotte dit : « Cela suffit! » mais l'enfant n'en continua pas
moins à se frotter avec ardeur, comme si trop valait
mieux que trop peu. Je te l'assure, Wilhelm, je n'ai
jamais assisté à un baptême avec plus de respect et
lorsque Lotte remonta, je me serais volontiers jeté à ses
genoux comme devant un prophète qui, par la purifi-
cation, venait d'effacer les péchés d'une nation.
    Le soir, dans la joie de mon cœur, je ne pus m'empê-
cher de conter l'incident à un homme que je croyais
réellement humain, parce qu'il a de l'intelligence ; mais
comme je tombais mal! Il déclara que c'était mal de la
part de Lotte, qu'on ne devait rien faire accroire aux
enfants et que de telles pratiques donnent lieu à d'innombrables erreurs et superstitions, dont il faut de

bonne heure préserver l'enfance. — Alors il me revint à
l'esprit que mon homme, huit jours auparavant, avait
fait baptiser son enfant : je le laissai donc dire et en mon
cœur je demeurai fidèle à cette vérité que nous devons
agir envers les enfants comme Dieu agit envers nous.
Il ne nous rend jamais plus heureux que lorsqu'il nous
laisse aller droit devant nous, dans l'ivresse d'une aimable illusion.

Le 8 juillet.

Que l'on est donc enfant [69] ! Que l'on est donc avide
d'un regard ! Que l'on est donc enfant ! — Nous étions
allés à Wahlheim. Ces dames s'y étaient rendues en
voiture et, tandis que nous nous promenions, je crus
apercevoir dans les yeux noirs de Lotte — je suis un
insensé, pardonne-moi ! mais tu devrais voir ces yeux !
Pour abréger (car les miens se ferment de sommeil),
voilà que ces dames remontèrent dans leur voiture,
qu'entouraient le jeune W..., Selstadt, Audran et moi.
On bavardait à la portière avec ces petits messieurs, qui
se montraient suffisamment légers et frivoles. Je cher-
chai les yeux de Lotte : hélas ! ils portaient leurs regards
de l'un à l'autre. Mais moi, moi, moi qui étais là,
n'attendant que ses yeux, elle ne me vit pas ! La voiture
se mit en marche, s'éloigna, une larme me monta aux
yeux. Je la suivis du regard et je vis la coiffure de Lotte
se pencher hors de la portière ; elle se retourna pour voir
qui ? moi ? — Ah ! cher ami ! Voilà l'incertitude où je
flotte, et voici ma consolation : c'est peut-être pour me
voir qu'elle s'est retournée ! Peut-être ! Bonne nuit ! Oh !
que je suis enfant !

Le 10 juillet.

Tu devrais voir quelle sotte figure je fais quand on
parle d'elle en société ! Et surtout quand on me demande
si elle me plaît... Me plaire ! voilà un mot qui m'est
mortellement odieux. Quel devrait être le genre
d'homme à qui Lotte ne ferait que plaire, dont elle
n'occuperait pas tout l'esprit et tout le cœur ! Me plaire !
Récemment on m'a demandé si Ossian [70] me plaisait !

Le 11 juillet.

M. M... est au plus mal. Je prie pour sa vie, car je
souffre avec Lotte. Je vois celle-ci rarement, chez une
amie. Aujourd'hui, elle m'a raconté un fait singulier.

Le vieux M... est un sordide grigou racorni qui, sa vie durant, a tourmenté sa femme on ne peut mieux, la tenant très serrée ; elle cependant, a toujours su se tirer d'affaire. Il y a quelques jours, le médecin lui ayant dit qu'elle était condamnée, elle fit venir son mari (Lotte était dans la chambre) et lui parla en ces termes : « Il me faut t'avouer une chose qui, après ma mort, pourrait provoquer du trouble et des ennuis. J'ai jusqu'ici tenu le ménage avec autant d'ordre et d'économie que possible ; mais tu me pardonneras d'avoir, durant ces trente années, dupé ta bonne foi. Au début de notre mariage tu fixas une somme modique pour la nourriture et autres dépenses domestiques. Lorsque notre train de maison s'accrut et que nos affaires s'étendirent, il n'y eut pas moyen de te décider à augmenter en proportion la somme que tu m'allouais pour la semaine. Bref, tu sais que dans les temps où ce train de maison a été le plus grand, tu as voulu qu'avec sept florins hebdomadaires je me tire d'affaire. Je recevais donc l'argent sans réclamer quant au surplus, je le prenais chaque semaine sur la recette, personne ne pouvant supposer que la patronne volait la caisse. Je n'ai rien gaspillé et même sans cet aveu je serais allée sans crainte au-devant de l'éternité, si je ne pensais à celle qui dirigera le ménage après moi et ne pourrait pas se débrouiller, tandis que toi tu affirmerais que ta première femme s'en tirait bien, et tu ne voudrais pas en démordre. »

Je m'entretins avec Lotte de cet incroyable aveuglement de l'esprit humain, qui fait que l'on ne soupçonne pas que quelque chose cloche, lorsqu'on voit sept florins suffire là où une dépense exige peut-être le double. Mais j'ai moi-même connu des gens qui auraient admis sans étonnement dans leur maison l'inépuisable cruche d'huile du prophète [71].

Le 13 juillet.

Non, je ne me trompe point ! Je lis dans ses yeux noirs un véritable intérêt pour moi et pour mon sort. Oui, je le sens, et je puis en cela me fier à mon cœur, je sens — oh ! m'est-il permis, m'est-il possible d'exprimer le ciel en ces mots ? — qu'elle m'aime !

Elle m'aime ! Et quelle valeur je prends à mes propres yeux, quelle... — *à toi* je peux bien le dire, car tu comprends ces choses-là — quelle adoration j'ai pour moi-même depuis qu'elle m'aime.

Est-ce présomption, est-ce le sentiment des véritables relations qui existent entre nous ? — Je ne connais pas d'homme de qui je puisse redouter quelque chose dans le cœur de Lotte. Et pourtant, lorsqu'elle parle de son fiancé, lorsqu'elle en parle avec une telle chaleur, un tel amour, je ressens ce que doit éprouver l'homme à qui, après l'avoir destitué de ses honneurs et dignités, on retire son épée.

Le 16 juillet.

Ah! dans toutes mes veines quel frisson, quand mon doigt par mégarde touche le sien, quand nos pieds se rencontrent sous la table! Je m'éloigne comme d'un brasier, mais une force secrète me ramène en avant, le vertige s'empare de mes sens! — Oh! et son innocence, son âme ingénue ne sent pas combien ses petites familiarités me torturent [72]. Lorsque, dans la conversation, elle va jusqu'à mettre sa main sur la mienne et que, dans le feu de notre entretien elle se rapproche de moi, au point que le céleste souffle de sa bouche peut atteindre mes lèvres..., je crois que je vais m'engloutir comme frappé de la foudre. — Mais, Wilhelm, ce ciel, cette confiance, si jamais j'ai l'audace de...! Tu me comprends. Non, mon cœur n'est pas si corrompu! Faible, il est vrai. Mais cette faiblesse n'est-elle pas déjà corruption ?

Elle m'est sacrée. Tout désir se tait en sa présence. Je ne sais ce qui se passe en moi lorsque je suis près d'elle ; j'ai le sentiment que mon âme palpite dans tous mes nerfs. Elle connaît une mélodie qu'elle joue sur son clavecin avec la puissance magique d'un ange, avec tant de simplicité et de toute son âme. C'est son air favori et il me soulage en me libérant de toute peine, de tout trouble, de toute idée noire, dès qu'elle en attaque la première note.

De tout ce qu'on raconte sur le pouvoir merveilleux de l'ancienne musique [73], rien n'est invraisemblable pour moi, quand je vois à quel point ce simple chant s'empare de moi. Et comme elle sait le jouer à propos, parfois en des moments où je me logerais volontiers une balle dans la tête! Alors l'égarement et les ténèbres de mon âme se dissipent et de nouveau je respire plus librement.

Le 18 juillet.

Wilhelm! qu'est-ce pour notre cœur que le monde

sans amour ? Une lanterne magique sans lumière ! A
peine y introduis-tu la petite lampe que t'apparaissent
sur le mur blanc les plus bigarrées des images. Et
quand elles ne seraient que de fugitifs fantômes, elles
n'en font pas moins notre bonheur, cependant que,
assis devant elles comme des enfants naïfs, nous nous
extasions sur ces merveilleuses apparitions ! Aujour-
d'hui, je n'ai pu aller voir Lotte, d'impérieux enga-
gements mondains m'ont retenu. Que faire ! J'ai envoyé
chez elle mon domestique, rien que pour avoir près
de moi quelqu'un qui l'eût approchée aujourd'hui.
Avec quelle impatience je l'ai attendu ! Avec quelle
joie je l'ai revu ! Si le respect humain ne m'en eût
retenu, j'aurais bien pris sa tête entre mes mains pour
lui donner un baiser.

On dit de la pierre de Bologne [74] que, si on l'expose
au soleil, elle en absorbe les rayons et, la nuit, brille
encore quelque temps. Il en fut ainsi pour moi de ce
garçon. L'idée que les yeux de Lotte s'étaient arrêtés
sur son visage, sur ses joues, sur les boutons de son
habit et le collet de son surtout me rendait tout cela
si sacré, si précieux. En cet instant je n'aurais pas
donné ce garçon pour mille thalers. Je me sentais si
bien en sa présence... Dieu te garde d'en rire ! Wilhelm,
est-ce fantasmagorie que le sentiment du bonheur ?

Le 19 juillet.

« Je la verrai ! » tel est mon cri quand je m'éveille et
que mon regard, empli de sérénité, se tourne vers le
beau soleil, « je la verrai », et de toute la journée je n'ai
pas d'autre désir, tout s'anéantit devant cette perspective.

Le 20 juillet.

Je n'ai pas encore pu faire mienne l'idée que vous
avez de me faire accompagner l'ambassadeur [75] à...
Je n'aime pas beaucoup la subordination et nous savons
tous que cet homme est au surplus un être désagréable.
Ma mère voudrait bien me voir en activité, dis-tu ;
voilà qui m'a fait rire. Suis-je donc présentement sans
activité ? Et au fond n'est-il pas indifférent que je
compte des pois ou des lentilles [76] ? Tout en ce monde
n'aboutit qu'à des vétilles et l'homme qui pour plaire
à d'autres sans y être porté par sa propre passion, par
un besoin personnel, s'épuise à conquérir argent, honneurs, etc. est toujours un insensé.

Le 24 juillet.

Puisque tu tiens tellement à ce que je ne néglige pas mon dessin, j'aimerais bien passer ce point sous silence au lieu de t'avouer que, ces derniers temps, je n'ai pas fait grand-chose.

Jamais jusqu'ici je n'ai été plus heureux, jamais mon sentiment de la nature, n'eût-il pour objet qu'un caillou, un brin d'herbe, n'a eu plus de plénitude, plus de profondeur, et pourtant... Je ne sais comment m'exprimer, mon pouvoir de représenter les choses est si faible, tout flotte et vacille à tel point devant mon âme que je ne puis cerner un contour; mais je m'imagine que si j'avais de la glaise ou de la cire je saurais bien en tirer l'expression voulue. Je prendrai donc de la terre glaise, si cela continue, et je la pétrirai, dût-il n'en sortir que des pâtés!

Trois fois déjà j'ai entrepris le portrait de Lotte et trois fois je me suis couvert de honte, ce qui m'irrite d'autant plus que, il y a quelque temps, j'en avais attrapé très heureusement la ressemblance. J'ai alors fait sa silhouette [77] et il faudra bien que je m'en contente.

Le 26 juillet [78].

Oui, chère Lotte, je m'occuperai, je m'acquitterai de tout; donnez-moi donc bien plus de commissions, donnez-m'en plus souvent. Mais, de grâce, plus de sable sur les billets que vous m'écrivez. Celui d'aujourd'hui, je l'ai vite porté à mes lèvres, et les grains m'ont crépité sous les dents.

Le 26 juillet.

Je me suis plus d'une fois déjà proposé de ne pas la voir si souvent. Mais qui pourrait tenir pareille résolution! Tous les jours je succombe à la tentation et je me promets par tout ce que j'ai de sacré de rester le lendemain chez moi. Et quand le matin suivant arrive, je me trouve de nouveau un motif irrésistible et, avant même d'y avoir pris garde, je suis chez elle. Ou bien elle m'a dit la veille au soir : « Vous viendrez bien demain? » Comment dès lors rester au loin? — Ou bien elle m'a donné une commission et je trouve qu'il convient de lui porter moi-même la réponse; ou bien encore la journée est par trop belle, je m'en vais à Wahlheim, et, une fois là, il n'y a plus qu'une demi-heure de chemin pour arriver chez Lotte! — Je suis dans son atmosphère et trop près — crac, m'y voilà. Ma grand-mère savait le conte de la montagne d'aimant : les navires qui s'en approchaient trop étaient soudain dépouillés de toutes leurs ferrures, les clous volaient vers la montagne et les malheureux navigateurs sombraient parmi les planches qui s'écroulaient les unes par-dessus les autres [7].

Le 30 juillet.

Albert est arrivé et je vais partir; même s'il était le meilleur et le plus noble des hommes, tel qu'à tout point de vue je serais prêt à me placer au-dessous de lui, il me serait insupportable de le voir, sous mes yeux, en possession de tant de perfections. — Possession. — Il suffit, Wilhelm, le fiancé est là! Un brave et cher garçon, à qui l'on ne peut que vouloir du bien. Par chance je n'étais pas là lorsqu'on l'a reçu. Cela m'aurait déchiré le cœur. Et il est si honnête qu'il n'a pas encore en ma présence donné à Lotte un seul baiser. Que Dieu lui en sache gré! Pour le respect même qu'il témoigne à la jeune fille il me faut l'aimer. Il me veut du bien et je présume que c'est l'œuvre de Lotte plus que son propre sentiment; car en cela les femmes sont fines et elles ont raison ; lorsque, prises entre deux admirateurs, elles peuvent les maintenir en bonne intelligence, le profit est toujours pour elles, encore que cela réussisse rarement.

Cependant je ne puis refuser mon estime à Albert. Son extérieur paisible fait un vif contraste avec mon caractère inquiet, que je ne puis dissimuler. Il a du sentiment et il sait ce qu'il possède en Lotte. Il semble avoir peu de mauvaise humeur, et tu ne l'ignores pas, c'est le péché que je déteste le plus chez l'homme.

Il me tient pour homme de sens : mon attachement à Lotte, l'ardente joie que je prends à tout ce qu'elle fait augmentent son triomphe et il ne l'en aime que davantage. Ne la tourmente-t-il pas quelquefois par une pointe de jalousie? Je n'en veux rien savoir, mais si j'étais à sa place, moi, je n'échapperais pas à ce démon.

Quoi qu'il en soit, ma joie d'être près de Lotte a disparu. Nommerai-je cela folie ou bien aveuglement? Qu'importent les noms! La chose parle d'elle-même. Tout ce que je sais à présent, je le savais avant la venue d'Albert : je savais que je n'avais aucun droit de prétendre à elle et je n'y prétendais pas, j'entends : dans la mesure où il est possible de rester sans convoitise en présence de tant de charme. Et voilà que le pauvre bouffon fait de grands yeux lorsque l'autre arrive réellement et lui souffle sa belle.

Je serre les dents et raille ma détresse, et raille deux fois, trois fois plus encore les gens qui me diraient de me résigner, puisque, après tout, il n'en peut être autrement. — Au diable ces fantoches. Je cours les bois et quand j'arrive chez Lotte et que je vois Albert assis près d'elle dans le petit jardin, sous la tonnelle, et que je n'en puis plus, alors je suis d'une exubérance folle, je me livre à bien des extravagances et je débite bien des absurdités. « Pour l'amour du ciel, m'a dit Lotte aujourd'hui, je vous en prie, pas de scène comme celle d'hier soir ! Vous êtes effrayant, quand vous êtes si gai... » Entre nous, je guette les moments où il a du travail ; Hop ! me voilà parti et je ne me sens plus d'aise quand je la trouve seule.

Le 8 août.

Je t'en prie, cher Wilhelm, ce n'était pas pour toi que je parlais lorsque je traitais d'insupportables les gens qui réclament de nous la résignation à d'inévitables destins. Je ne songeais vraiment pas que tu pourrais être de leur avis. Et, au fond, tu as raison. Une seule remarque, mon cher : en ce monde, il est très rare que l'on arrive à quelque chose avec un dilemme. Il y a autant de nuances variées entre les sentiments et les manières d'agir que de degrés entre un nez aquilin et un nez camus.

Tu ne m'en voudras pas si, tout en admettant ton argumentation, j'essaie cependant de me faufiler entre les deux « ou bien ».

Ou bien tu as l'espoir de conquérir Lotte, dis-tu, ou bien, tu ne l'as pas. Bon, dans le premier cas, pousse à la réalisation de ton désir, tâche de posséder l'objet de tes vœux ; dans l'autre, montre-toi homme et efforce-toi de te libérer d'un sentiment malheureux, qui ne peut que consumer toutes tes forces. — Très cher ami, voilà qui est bien dit, et bien vite dit.

Mais quand un malheureux se sent mourir peu à peu d'une maladie de langueur, que rien ne saurait enrayer, peux-tu exiger de lui que, d'un coup de poignard, il mette fin d'un seul coup à son tourment ? Et

le mal qui consume ses forces ne lui ravit-il pas en
même temps le courage de s'en libérer ?

Certes, tu pourrais me répondre par une comparaison
analogue : Qui donc ne se laisserait pas couper un bras
plutôt que de mettre sa vie en jeu par hésitation et
irrésolution ? — Je ne sais pas — et nous n'allons pas
nous battre à coups de comparaisons. Cela suffit...
Oui, Wilhelm, il m'arrive par instants d'avoir un sur-
saut de courage et de vouloir secouer ma chaîne, et
dans ces instants-là... si seulement je savais où aller,
je m'en irais.

Le soir [80].

Mon journal, que je négligeais depuis quelque temps,
m'est tombé aujourd'hui sous la main et je m'étonne
de voir à quel point je me suis sciemment, pas à pas,
engagé dans toute cette affaire. Comme j'ai toujours
vu clairement mon état et pourtant agi en enfant,
comme je vois clair maintenant encore, sans qu'il y
ait quelque apparence que je me corrige.

Le 10 août.

Je pourrais mener la vie la meilleure, la plus heureuse, si je n'étais un insensé. Il est difficile que s'unis-
sent pour réjouir l'âme d'un homme d'aussi belles
circonstances que celles où je me trouve à présent.
Tant il est vrai, hélas! que seul notre cœur est l'artisan
de son propre bonheur [81]. Être membre de cette aimable
famille, être aimé du vieillard comme un fils, des
petits comme un père, et de Lotte!... Puis cet honnête
Albert, qui ne trouble ma félicité par aucune mauvaise
humeur déplacée et m'entoure d'une cordiale amitié,
pour qui je suis, après Lotte, ce qu'il a de plus cher
au monde. — Wilhelm, c'est une joie de nous entendre
lorsque, nous promenant ensemble, nous nous entre-
tenons de Lotte : on n'a jamais imaginé dans le monde
quelque chose de plus ridicule que notre situation et
pourtant les larmes m'en viennent souvent aux yeux.

Lorsqu'il me parle de la digne mère de Lotte, qu'il
me raconte comment, à son lit de mort, elle remit à la
jeune fille maison et enfants et la lui confia à lui-même,
comment depuis lors un esprit nouveau anima Lotte,
comment pour les soins du ménage et le sérieux elle
est devenue une véritable mère, comment pas une
minute de son temps ne s'est écoulée sans activité

aimante et sans travail, et comment néanmoins sa
gaieté, sa belle légèreté d'âme ne l'ont jamais abandonnée. — Moi, je chemine à ses côtés et je cueille
des fleurs le long du chemin, je les assemble très soigneusement en un bouquet et... les jette dans la rivière
qui coule à côté de nous, et je les suis du regard, em-
portées par le flot ondulant. Je ne sais si je t'ai écrit
qu'Albert restera ici et va obtenir de la cour, dont il a
la faveur, une charge dotée d'un gentil revenu. Pour
l'ordre et l'activité dans les affaires j'ai rarement vu
son pareil.

Le 12 août.

Certes, Albert est l'homme le meilleur qui soit sous
le ciel. J'ai eu hier avec lui une scène singulière.
J'étais allé prendre congé de lui, car l'envie m'était
venue de faire un tour à cheval dans la montagne, d'où
je t'écris effectivement aujourd'hui, et comme je vais
et viens dans la chambre, ses pistolets [82] me tombent
sous les yeux. « Prête-moi les pistolets pour mon
voyage », lui dis-je. — Volontiers, répondit-il, si tu
veux prendre la peine de les charger ; chez moi, ils ne
sont suspendus là que pour la forme [83] ». J'en décrochai
un. Il continua : « Depuis que ma prévoyance m'a joué
un si vilain tour, je ne veux plus avoir à faire avec ces
outils-là. » Je fus curieux de connaître l'histoire. « Je
séjournais, me raconta-t-il, pour à peu près trois mois
à la campagne, chez un ami. J'avais là une paire de
pistolets de poche non chargés et je dormais tranquillement. Un jour, me trouvant inoccupé par un pluvieux
après-midi, je ne sais comment l'idée me vint que nous
pourrions être attaqués, que nous pourrions avoir
besoin de ces pistolets, que nous pourrions... Tu sais
bien ce qu'il en est. — Je les remets donc au domestique pour qu'il les nettoie et les charge ; voilà qu'en
badinant avec les servantes il veut leur faire peur et,
Dieu sait comment, le coup part, alors que la baguette [84]
se trouve encore dans le canon et celle-ci s'en vient
frapper l'une des bonnes à la main droite entre le
pouce et l'index et lui fracasse le pouce [85]. J'eus à
subir les lamentations et, par surcroît à payer le chirur-
gien ; depuis lors, je laisse toutes les armes non char-
gées. Mon cher ami, qu'est-ce que la prévoyance ? On
n'en a jamais fini d'apprendre le danger ! Il est vrai
que... » Or, tu sais que j'aime beaucoup cet homme,

sauf ses « il est vrai que », car ne va-t-il pas de soi que toute règle générale souffre des exceptions? Mais il est si plein de scrupules, cet Albert! Quand il croit avoir dit quelque chose de trop précipité, de trop général, ou qui n'est vrai qu'à demi, il ne cesse pas de vous le limiter, de le modifier, d'en retrancher et d'y ajouter, jusqu'à ce que finalement il n'en reste plus rien. Et dans cette occasion il ne cessa d'approfondir son texte. Je finis par ne plus l'écouter du tout, me mis à remâcher mes idées noires et soudain, d'un geste brusque, je m'appuyai le canon de l'arme sur le front, au-dessus de l'œil droit. « Fi donc! dit Albert, en abaissant le pistolet précipitamment, qu'est-ce que cela veut dire? — Il n'est pas chargé, dis-je. — Et quand même, que signifie cela? reprit-il avec impatience. Je ne puis me représenter un homme qui serait assez fou pour se brûler la cervelle ; la seule pensée m'en est odieuse. — Pourquoi, m'écriai-je, vous autres hommes, ne pouvez-vous parler de quelque chose sans ajouter aussitôt : c'est insensé, c'est sage, c'est bien, c'est mal! Et que veut dire tout cela? Avez-vous, pour en juger ainsi, pénétré les raisons secrètes d'une action? Savez-vous démêler avec précision les causes qui l'ont produite, qui devaient nécessairement la produire? Si vous l'aviez fait, vous seriez moins pressés de juger. — Tu m'accorderas, dit Albert, que certaines actions restent criminelles, quels que soient les mobiles qui les aient déterminées. »

Je haussai les épaules et le lui accordai. « Pourtant, mon cher, continuai-je, dans ce cas également il se trouve quelques exceptions. Il est bien vrai que le vol est un crime : mais celui qui, pour se sauver et pour sauver les siens d'une imminente mort par inanition, se fait voleur, mérite-t-il la pitié ou le châtiment? Et qui lancera la première pierre contre le mari dont la légitime colère sacrifie une épouse et son indigne séducteur? Ou contre la jeune fille qui en une heure de volupté cède aux joies irrésistibles de l'amour? Nos lois mêmes, ces pédantes au sang glacé, se laissent émouvoir et suspendent leur punition.

— C'est tout différent, riposta Albert, car celui qui se laisse entraîner par ses passions perd tout pouvoir de réflexion et on le considère comme un homme ivre, comme un dément.

— Ah! vous voilà bien, gens de raison! m'écriai-je

en souriant. Passion! ivresse! démence! Vous êtes là
dans une placide indifférence, vous, les êtres de vertu!
Vous accablez l'ivrogne, vous exécrez l'insensé, vous
passez votre chemin comme le lévite [86] et, tel le phari-
sien, vous remerciez Dieu de ce qu'il ne vous a pas
fait semblable à l'un de ceux-là. Je me suis plus d'une
fois enivré, mes passions n'ont jamais été bien éloignées
de la folie et de tout cela je n'ai nul repentir, car dans
ma modeste sphère j'ai appris à comprendre que tous
les hommes extraordinaires, ceux qui ont fait une
grande œuvre et réalisé l'impossible, ont de tout temps
été proclamés ivres et insensés.

« Et même dans la vie courante il est insupportable
d'entendre la réprobation qui poursuit presque tous
les hommes capables d'un acte quelque peu libre,
noble, inattendu : « Cet individu est ivre! il est fou! »
Honte à vous, les sobres! Honte à vous, les sages!

— Voilà encore de tes lubies, dit Albert, tu pousses
tout à l'extrême et, ici du moins, tu as certainement
tort en assimilant le suicide, dont il est maintenant
question, à une grande action, car on ne peut le tenir
pour autre chose que pour une faiblesse, et il est certes
plus facile de mourir que de supporter avec fermeté
une vie pleine de tourments. »

Je fus sur le point de briser là, car lorsque je parle
avec tout mon cœur aucun argument ne me met plus
hors de moi-même qu'un insignifiant lieu commun
dont on se pourvoit contre moi. Cependant je me con-
tins : j'avais souvent entendu cela, plus souvent encore
je m'en étais indigné et je répliquai avec quelque vivacité : « Tu nommes cela faiblesse! Je t'en prie, ne te
laisse pas égarer par les apparences. Un peuple gémit
sous le joug intolérable d'un tyran, as-tu le droit de
l'appeler faible, si tout bouillonnant il se soulève et
brise ses chaînes? L'homme qui, voyant avec terreur
le feu prendre dans sa maison, sent toutes ses forces
se tendre et emporte avec aisance des fardeaux que,
de sang-froid, il aurait peine à soulever, et cet autre qui,
rendu furieux par une offense, ose s'en prendre à six
adversaires et en vient à bout, faut-il les appeler
faibles? Or, mon cher, si tendre ses forces, c'est être
fort, pourquoi la tension elle-même serait-elle le
contraire? » Albert me regarda et dit : « Ne m'en
veux pas, si je prétends que tes exemples me semblent
ne rien avoir à faire ici. — C'est possible, rétorquai-je;

on m'a souvent reproché que ma façon de raisonner touchait parfois au radotage. Voyons donc si nous pouvons nous représenter d'une autre manière l'état d'esprit de l'homme qui se résout à rejeter le fardeau, par ailleurs agréable, de la vie. Car honnêtement nous ne pouvons parler d'une chose que dans la mesure où nous sommes capables de la ressentir.

« La nature humaine, continuai-je, a ses limites : elle peut supporter joie, douleur, souffrance jusqu'à un certain degré, mais elle succombe dès que celui-ci est dépassé. Ici donc la question n'est pas de savoir si un homme est faible ou fort, mais s'il peut endurer sa mesure de souffrance, qu'elle soit d'ailleurs morale ou physique ; et je trouve aussi singulier de dire : « L'homme qui se donne la mort est un lâche », qu'il pourrait être déplacé de traiter de lâche celui qui meurt d'une fièvre maligne [87].

— Paradoxe ! pur paradoxe ! s'écria Albert. — Pas autant que tu le crois, répliquai-je. Tu m'accorderas que nous appelons maladie mortelle [88] celle qui, s'attaquant à la nature humaine, en partie consume ses forces, en partie les met hors d'action, au point qu'elle n'est plus en état de se relever, de rétablir par une heureuse révolution le cours ordinaire de la vie.

« Eh bien ! mon cher, appliquons cela à l'esprit. Considère l'homme dans ses limites étroites, vois comment certaines impressions agissent sur lui, comment des idées fixes s'emparent de lui, jusqu'à ce qu'une passion croissante finisse par le priver de tout sang-froid et l'anéantisse.

« C'est en vain qu'un homme calme, raisonnable, qui se rend compte de l'état du malheureux, essaie de le convaincre et lui prodigue les conseils ! De même que l'individu bien portant, qui se tient au chevet d'un malade, ne peut lui infuser la moindre parcelle de ses forces. »

C'était là, pour Albert, parler de façon trop générale. Je lui rappelai cette jeune fille que l'on avait peu auparavant retrouvée morte dans la rivière, et je lui répétai son histoire [89]. Une jeune et bonne créature, qui avait grandi dans le cercle restreint des occupations domestiques, d'un travail régulier, semaine après semaine, et qui n'avait pas d'autre perspective de plaisir que de se promener le dimanche avec ses pareilles dans les environs de la ville, parée d'atours qu'elle avait peu

à peu rassemblés, de danser peut-être une fois à l'occasion des grandes fêtes, et pour le reste de passer
maintes heures chez une voisine à bavarder avec toute
la vivacité du plus cordial intérêt sur l'origine d'une
dispute ou d'une médisance. Et voici que sa nature
ardente finit par ressentir de plus secrets désirs, accrus
encore par les flatteries des hommes ; ses joies antérieures peu à peu perdent pour elle toute saveur et
le jour vient où enfin elle rencontre un homme vers
qui elle se sent irrésistiblement attirée par un sentiment
inconnu, un homme sur qui elle reporte alors tous ses
espoirs ; oubliant le monde entier autour d'elle,
elle n'entend rien, ne voit rien, ne désire rien que lui,
l'être unique, elle n'aspire qu'à lui, l'être unique !
Les frivoles satisfactions d'une inconstante vanité ne
l'ayant point corrompue, son désir va droit au but,
elle veut être à lui, elle veut trouver dans une union
éternelle le bonheur qui lui fait défaut et goûter en
une fois toutes les joies dont elle avait la nostalgie. Des
promesses réitérées, qui mettent le sceau de la certitude
à toutes ses espérances, d'audacieuses caresses, qui
accroissent ses désirs, enlacent et captivent toute son
âme ; elle flotte dans une demi-conscience, dans le pressentiment de toutes les joies, elle est tendue au plus
haut degré, elle ouvre enfin ses bras pour étreindre
l'objet de tous ses vœux — et son bien-aimé l'abandonne. Paralysée d'effroi, privée de sentiment, elle se
trouve devant un abîme ; tout, autour d'elle, est ténèbres, nulle perspective, nulle consolation, nulle idée
de son avenir ! car *il* l'a quittée, l'homme en qui seul
elle se sentait vivre. Elle ne voit plus le vaste monde
qui s'étend devant elle, ni tous ceux qui pourraient
compenser sa perte, elle se sent toute seule, abandonnée
du monde entier — et, aveuglée, poussée à bout par
l'effroyable détresse de son cœur, elle se précipite
dans les flots pour étouffer dans la grande étreinte de
la mort tous ses tourments. — Voyons, Albert, c'est
là l'histoire de plus d'un homme ! et dis-moi, n'est-ce
pas le cas de la maladie ? La nature n'a pas d'issue
hors du labyrinthe des forces confuses et contradic-
toires et l'homme n'a plus qu'à mourir.

« Malheur à qui devant ce spectacle pourrait dire :
« La folle ! Que n'a-t-elle attendu et laissé le temps agir,
« son désespoir se serait bien calmé, il se serait bien
« trouvé un autre homme pour la consoler ! » C'est tout

« de la fièvre! S'il avait attendu assez longtemps pour
« que ses forces se rétablissent et que ses humeurs se
« purifient, pour que le tumulte de son sang s'apaise,
« tout aurait bien marché et il vivrait encore aujour-
« d'hui! »

Albert, qui ne trouvait pas encore la comparaison
évidente, fit quelques nouvelles objections, celle-ci
entre autres : je n'avais parlé que d'une fille un peu
simple ; mais comment l'homme de bon sens, qui ne
serait pas aussi borné, qui verrait mieux les rapports
des choses, pourrait-il être excusé? Voilà ce qu'il n'arrivait pas à comprendre. « Mon ami, m'écriai-je, un
homme reste toujours un homme et le brin d'entende-
ment que l'on peut avoir ne compte pas, ou compte
bien peu, lorsque la passion fait rage et lorsque les
limites de l'humanité pressent sur nous. Bien plus...
Mais ce sera pour une autre fois », dis-je en prenant
mon chapeau. Oh! j'avais le cœur si plein... Et nous
nous sommes quittés sans nous être compris. Tant
il est vrai qu'en ce monde nul ne comprend l'autre
facilement.

Le 15 août.

Il est pourtant bien certain que dans ce monde rien
ne rend un homme nécessaire, si ce n'est l'amour. Je
le sens chez Lotte, je sens qu'elle regretterait de me
perdre, et quant aux enfants, ils ne peuvent imaginer
que je cesserais de revenir le lendemain. Aujourd'hui
j'étais allé là-bas pour accorder le clavecin de Lotte,
mais je n'y réussis pas, car les petits me persécutèrent
pour avoir une histoire et, Lotte déclarant que je
devais faire leur volonté, je m'exécutai. Je leur coupai
les tartines du goûter, qu'ils reçoivent maintenant
presque aussi volontiers de moi que de Lotte, et je
leur contai la plus belle histoire de mon répertoire,
celle de la princesse servie par des mains enchantées [90].
Ce faisant, je m'instruis beaucoup, je te l'assure, et je
suis étonné de l'impression que cela fait sur eux.
Comme il m'arrive assez souvent d'inventer quelque
épisode que j'oublie ensuite, ils me disent aussitôt
que la dernière fois ce n'était pas la même chose, si
bien qu'à présent je m'exerce à n'y rien changer, à
réciter mon histoire d'un ton chantant et sur le bout
du doigt. J'ai tiré de là cet enseignement qu'un auteur,
qui donne de son roman une seconde édition remaniée,

même s'il l'améliore du point de vue poétique, doit
nécessairement nuire à son livre. La première impression nous trouve dociles et l'homme est ainsi fait que
l'on peut lui faire accroire les choses les plus fantastiques : mais celles-ci adhèrent aussitôt à lui avec force
et malheur à qui veut ensuite les effacer et les détruire!

Le 18 août [91].

Était-il donc fatal que ce qui fait la félicité de l'homme
devînt en retour la source de sa détresse ?

Le sentiment d'ardente plénitude que la nature
vivante faisait naître en mon cœur, ce sentiment qui
m'inondait de tant de volupté, qui transformait le
monde autour de moi en un paradis, me devient maintenant un intolérable bourreau, un génie de la persécu-
tion, qui me pourchasse en tout lieu. Jadis, quand du
haut du rocher mon regard embrassait la vallée féconde
qui s'étend par-delà le fleuve jusqu'aux lointaines
collines et que je voyais tout germer, sourdre autour
de moi ; quand j'apercevais ces montagnes revêtues
du pied jusqu'à la cime de grands arbres touffus, ces
vallées aux multiples détours ombragés des plus
aimables forêts, tandis que doucement la rivière s'écoulait entre les roseaux murmurants et reflétait les gra-
cieux nuages que la douce brise du soir berçait et
poussait vers nous dans le ciel ; quand alors j'entendais
les oiseaux autour de moi animer la forêt et que par
millions des essaims de moucherons dansaient allé-
grement dans l'ultime rayon du soleil couchant, dont
le dernier regard palpitant délivrait le scarabée bour-
donnant de sa prison d'herbe ; quand la vie bruissante
et mouvante qui m'entourait attirait mon attention
sur le sol et sur la mousse qui arrache au rocher sa
nourriture, et que les broussailles qui croissent sur la
pente de l'aride colline sablonneuse me révélaient la
vie intérieure, ardente et sacrée, de la nature, comme
alors je recueillais tout cela dans mon cœur brûlant!
Dans cette débordante plénitude je me sentais presque
devenir Dieu et les formes admirables de l'univers
infini se mouvaient dans mon âme porteuse d'une vie
unanime. Des montagnes énormes m'entouraient, des
abîmes s'ouvraient devant moi et des torrents s'y pré-
cipitaient ; les fleuves au-dessous de moi coulaient à
flots ; forêts et montagnes retentissaient et je les voyais
agir et créer, entremêlées dans les profondeurs de la

terre, toutes les forces insondables, tandis qu'entre
terre et ciel fourmillent les générations des créatures
en leur diversité. Tout, tout est peuplé de mille formes,
cependant que les hommes se rassemblent à l'abri de
leurs chaumières et se font un nid en s'imaginant qu'ils
règnent sur le vaste monde! Pauvres insensés! qui
jugent tout si infime, parce qu'ils sont si petits. — Depuis la montagne inaccessible jusqu'à l'extrémité de
l'Océan inconnu, par-dessus le désert que nul pied ne
foula, souffle l'Esprit de l'Éternel Créateur. Et il se
réjouit du moindre grain de poussière qui le perçoit
et qui vit — Ah! que de fois alors n'ai-je pas envié les
ailes de la grue qui volait par-dessus ma tête pour
atteindre la rive de la mer immense, pour boire à la
coupe écumante de l'infini cette volupté de vivre qui
dilate le cœur, afin de sentir, ne fût-ce qu'un instant, dans la force limitée de mon sein, une goutte
de félicité de l'Être en qui et par qui tout fut
créé [92].

Mon frère, le souvenir de ces heures suffit à me faire
du bien. Mon effort même pour évoquer ces sentiments indicibles, pour les exprimer de nouveau, élève
mon âme au-dessus d'elle-même et me fait ensuite
ressentir doublement l'angoisse de l'état où je suis
plongé maintenant.

Devant mon âme, un rideau semble s'être levé et
la scène où je contemplais la vie infinie se transforme
devant moi en l'abîme de la tombe éternellement
ouverte. Peux-tu dire : *cela est !*, alors qu'à côté de toi
tout passe? Alors que tout roule avec la vitesse de
l'éclair, et, hélas! ne conservant que rarement intacte
jusqu'à son terme la puissance de sa destinée, est
entraîné dans le fleuve, englouti en lui, et fracassé
contre les rochers? Pas un instant qui ne te consume,
toi et les tiens autour de toi, pas un instant où tu ne
sois un destructeur, où tu ne doives l'être. La plus
innocente promenade coûte la vie à mille pauvres
vermisseaux, un pas suffit à détruire les laborieuses cons-
tructions des fourmis et, en l'écrasant, à jeter tout un
petit monde dans une tombe ignominieuse. Ah! ce
ne sont pas les grandes et rares détresses du monde
qui me touchent, ces inondations qui balaient nos
villages, ces tremblements de terre qui engloutissent
nos villes [93], ce qui mine mon cœur, c'est la force dévo-
rante cachée au sein de la nature et qui n'a rien créé

qui ne détruise son voisin et ne se détruise soi-même. Et ainsi je titube dans l'angoisse. Autour de moi le ciel et la terre et leurs forces qui s'entrecroisent! Je ne vois rien qu'un monstre qui éternellement engloutit, éternellement rumine [94].

Le 21 août.

C'est en vain que je tends les bras vers elle, le matin, quand à l'aube je sors de quelques pénibles rêves; c'est en vain que je la cherche, la nuit, dans mon lit, lorsque, abusé par un songe heureux et innocent, je me suis vu assis près d'elle dans la prairie, tenant sa main et la couvrant de mille baisers. Ah! lorsque, encore à demi dans l'ivresse du sommeil, ma main tâtonnante la cherche près de moi et que, dans ce geste, je me réveille, un torrent de larmes jaillit de mon cœur oppressé et je pleure, inconsolable, sur le sombre avenir qui va être le mien.

Le 22 août.

Quel malheur, Wilhelm, que mes forces actives ne s'accommodent pas d'une indolence inquiète! Je ne puis pas rester oisif et ne peux pas non plus agir. Je ne puis ni me représenter ni sentir la nature, et les livres m'inspirent de la répugnance. Quand nous nous manquons à nous-mêmes, tout ne nous manque-t-il pas? Je te le jure, parfois je souhaiterais n'être qu'un journalier, afin d'avoir du moins, le matin, au réveil, une perspective pour le jour qui vient, un désir, une espérance. Parfois j'envie Albert, enseveli jusque par-dessus la tête dans ses dossiers, et je m'imagine qu'en moi tout irait bien, si j'étais à sa place. Quelquefois l'idée m'est venue brusquement que j'allais t'écrire et solliciter du ministre ce poste à l'ambassade qui, comme tu me le certifies, ne me serait point refusé. Je le crois moi-même. Le ministre m'aime depuis longtemps, il m'a longtemps pressé de me consacrer à quelque affaire; et pendant une heure je m'y sens donc assez porté. Puis, quand j'y repense, il me revient à l'esprit la fable du cheval qui, lassé de sa liberté, se laisse seller, brider, et que l'on chevauche à mort [95]... Je ne sais plus ce que je dois faire... Mais, mon cher, ce désir que j'ai d'un changement d'état ne serait-il pas, par hasard, un sentiment de malaise intérieur et d'impatience qui me poursuivra en tout lieu?

Le 28 août.

En vérité, s'il y avait un remède à ma maladie, de tels amis me guériraient. C'est aujourd'hui l'anniversaire de ma naissance [96] et de grand matin je reçois d'Albert un petit paquet. Je l'ouvre et le premier objet qui me saute aux yeux, c'est un des rubans roses que Lotte portait à son corsage, lorsque je fis sa connaissance, et que depuis je lui avais quelquefois demandé [97]. A cela étaient joints deux petits volumes in-12, l'*Homère* de Wetstein [98], dont j'avais envie depuis bien longtemps afin de ne pas traîner en promenade l'encombrante édition d'Ernesti [99]. Tu vois, c'est ainsi qu'ils préviennent mes désirs, c'est ainsi qu'ils recherchent à mon intention toutes ces petites attentions de l'amitié, mille fois plus précieuses que les éblouissants cadeaux par quoi la vanité du donateur nous écrase. Je couvre de baisers ce nœud de ruban et en le respirant je savoure le souvenir des félicités dont m'ont comblé ces quelques jours de bonheur, ces jours qui ne reviendront plus jamais. Wilhelm, c'est ainsi et je ne murmure point, les fleurs de la vie ne sont que des apparitions! Combien passent sans laisser une trace, combien rares celles qui donnent des fruits, combien rares ceux de ces fruits qui mûrissent! Et pourtant, de ces fruits, il en est assez; et pourtant... oh! frère!... ces fruits mûrs, pouvons-nous les négliger, les dédaigner, les laisser pourrir sans y avoir goûté?

Adieu! Nous avons un magnifique été et je suis souvent dans le verger de Lotte, perché sur les arbres fruitiers, la longue hampe du cueille-fruits à la main pour atteindre les poires des plus hautes branches. Elle, en bas, les reçoit à mesure que je les laisse glisser vers elle.

Le 30 août.

Malheureux! N'es-tu pas insensé? Ne t'abuses-tu pas toi-même? A quoi rime cette passion furieuse et sans bornes? Je ne fais plus aucune prière qui ne s'adresse à Elle ; à mon imagination n'apparaît plus d'autre figure que la sienne et dans le monde qui m'entoure je vois tout par rapport à Elle. Et cela me procure du reste mainte heure de joie — jusqu'au moment où, de nouveau, il me faut m'arracher d'elle! Ah! Wilhelm! où mon cœur souvent ne m'emporte-t-il pas? Quand

j'ai passé auprès d'elle deux heures, trois heures, à me repaître de sa personne, de son maintien, de la céleste expression de ses paroles, et qu'alors tous mes sens se tendent peu à peu, tout s'obscurcit à mes yeux, c'est à peine si j'entends encore et je me sens la gorge prise comme dans une main meurtrière. Alors, mon cœur qui bat furieusement tente de soulager l'oppression de mes sens et ne fait qu'accroître leur désarroi.
— Wilhelm, je ne sais pas si je suis encore de ce monde. Et sauf lorsque la mélancolie l'emporte et que Lotte m'accorde la misérable consolation de déverser mon angoisse dans les larmes dont je baigne sa main — il me faut partir, il me faut m'enfuir! Et j'erre alors, bien loin, par la campagne : escalader un roc escarpé, voilà quel est alors mon plaisir, ou me frayer un sentier à travers un bois impénétrable, à travers les haies qui me blessent, les épines qui me déchirent [100]! Alors je me sens un peu mieux! Un peu! Et quand, succombant à la fatigue et à la soif, je m'affaisse en chemin, quand, parfois, dans la nuit profonde, tandis que la lune brille à son zénith au-dessus de moi, je m'assieds dans la forêt solitaire sur un arbre au tronc tortu pour procurer à mes pieds blessés un soulagement, quand alors, m'endormant au sein de ces ténèbres, je me laisse aller à un repos épuisant, oh! Wilhelm! la solitude d'une cellule, la haire et la ceinture à pointes [101] seraient alors un réconfort pour mon âme assoiffée. Adieu! Je ne vois d'autre terme à cette détresse que la tombe.

Le 3 septembre.

Il me faut partir! Je te remercie, Wilhelm, d'avoir fixé ma résolution chancelante. Voilà quinze jours déjà que je roule dans ma tête l'idée de la quitter. Il me faut partir. Elle est de nouveau en ville, chez une amie. Et Albert... et... il me faut partir!

Le 10 septembre [102].

Ah! quelle nuit, Wilhelm! A présent, je puis tout supporter. Je ne la reverrai plus! Oh! que ne puis-je me jeter à ton cou et t'exprimer avec mille larmes, mille transports, oh! mon très cher, les sentiments qui assiègent mon cœur! Me voici à ma table, je reprends haleine, j'essaie de me calmer, j'attends le matin et les chevaux sont commandés pour le lever du soleil.

Hélas! elle dort paisiblement, sans songer que jamais plus elle ne me reverra. J'ai rompu ma chaîne, j'ai été assez fort pour ne rien trahir de mes projets au cours d'un entretien de deux heures. Et, Dieu! quel entretien!

Albert m'avait promis de venir au jardin [103] avec Lotte sitôt après le souper. J'étais sur la terrasse, sous les hauts châtaigniers, suivant des yeux le soleil que j'allais donc voir pour la dernière fois se coucher sur cette aimable vallée, sur cette douce rivière. Que de fois n'avais-je pas, en ce lieu, assisté avec elle à ce même magnifique spectacle! Et maintenant j'allais de long en large dans cette belle allée si chère à mon cœur. Une secrète sympathie m'y avait déjà si souvent retenu, avant de rencontrer Lotte, et quelle fut notre joie quand, peu de temps après avoir fait connaissance, nous découvrîmes notre commune prédilection pour ce petit coin, vraiment l'un des plus romantiques [104] que j'aie vus parmi ceux que l'art a créés.

Imagine entre les châtaigniers une vaste échappée... Mais je me souviens que je t'en ai déjà, je pense, longuement parlé [105], que je t'ai dit comment deux hautes murailles vous enferment, cependant qu'un bosquet contigu rend l'allée de plus en plus sombre, tout cela pour aboutir à une petite place bien close, où planent tous les frissons de la solitude. Je ressens encore l'impression d'intimité que j'éprouvai quand, pour la première fois, en plein midi, j'y pénétrai ; je pressentais à demi que ce lieu serait un jour un théâtre de félicité et de souffrance.

Il y avait près d'une demi-heure que je me complaisais dans la douce langueur des pensées de l'adieu, de l'au-revoir, quand je les entendis gravir l'escalier de la terrasse. Je courus à leur rencontre, pris en frissonnant la main de Lotte et la baisai. Nous étions juste en haut des marches lorsque, derrière les buissons de la colline, la lune se leva. Tout en parlant de choses et d'autres nous nous rapprochâmes du sombre cabinet de verdure. Lotte y pénétra et s'assit, Albert à côté d'elle, moi de même ; mais mon agitation ne me laissa pas longtemps en place, je me levai, me tins debout devant elle, fis quelques pas de-ci, de-là, revins m'asseoir ; j'étais dans l'angoisse. Elle nous fit remarquer le bel effet de lumière produit par la lune qui, à l'extrémité de l'allée de hêtres, éclairait toute la terrasse en face de nous : un magnifique spectacle, d'autant plus

frappant qu'une épaisse obscurité nous enserrait.
Nous nous taisions. Au bout d'un moment, elle dit :
« Jamais, je ne me promène au clair de lune sans que
s'offre à moi la pensée de mes chers défunts, sans que
le sentiment de la mort et de la vie future me saisisse.
Nous revivrons ! poursuivit-elle avec l'accent du sentiment le plus sublime ; mais, Werther, nous retrou-
verons-nous ? Nous reconnaîtrons-nous ? Que pressen-
tez-vous ? Qu'en dites-vous ?

« Lotte, répondis-je en lui tendant la main, cependant que mes yeux se remplissaient de pleurs, nous
nous reverrons ! Ici et là-haut nous nous reverrons !... »
Je ne pus continuer... Wilhelm, fallait-il qu'elle me
fît cette question, alors que j'avais dans le cœur l'angoisse de l'adieu ?

« Et je me demande, poursuivit-elle, si nos chers
disparus savent ce que nous devenons, s'ils sentent que
dans nos moments de bonheur, nous nous souvenons
d'eux avec un ardent amour. Oh ! l'image de ma mère
plane toujours autour de moi lorsque, dans le calme du
soir, je suis assise au milieu de ses enfants, de mes enfants, rassemblés autour de moi comme jadis autour
d'elle. Quand, les yeux pleins de larmes tournés vers le
ciel, je forme alors des vœux pour qu'elle puisse voir un
instant comment je tiens la parole que je lui ai donnée à
l'heure de sa mort, d'être la mère de ses enfants, avec
quelle émotion je m'écrie : « Pardonne-moi, mère chérie !
si je ne suis pas pour eux tout ce que tu as été ! Ah ! ne
fais-je pas tout ce que je puis ? Ne sont-ils pas vêtus,
nourris et, ce qui vaut mieux encore, choyés, aimés ! Si
tu pouvais voir l'union qui règne entre nous, chère
sainte, tu glorifierais avec les plus ardentes actions de
grâces le Dieu qu'avec tes dernières larmes, les plus
amères de toutes, tu prias pour le bonheur de tes
enfants. »

Ainsi parla-t-elle. Mais, Wilhelm, qui pourrait répéter
ses paroles ! Comment les mots, froids et morts, peuvent-
ils reproduire cette fleur céleste de l'esprit ! Albert
l'interrompit avec douceur : « Cela vous affecte trop,
chère Lotte ! Je sais combien votre âme incline à ces
idées, mais je vous en prie... — Ô Albert, dit-elle, je sais
que tu n'oublies pas ces soirées où nous étions assis
autour de la petite table ronde, lorsque papa était en
voyage et que nous avions envoyé les enfants au lit.
Souvent tu avais apporté quelque bon livre, mais il

t'arrivait si rarement d'en pouvoir lire une page... Le commerce de cette âme sublime n'était-il pas supérieur à tout le reste? La belle et douce femme, enjouée et toujours active! Dieu sait les larmes que j'ai versées sur ma couche, priant Dieu à genoux de me rendre semblable à elle. »

« Lotte! m'écriai-je en me jetant à ses genoux et, saisissant sa main, je la baignai de mille larmes, Lotte! la bénédiction du ciel est sur toi, et sur toi plane l'esprit de ta mère! — Si vous l'aviez connue! dit-elle en me serrant la main, elle était digne d'être connue de vous! » Je crus mourir. Jamais on n'avait fait de moi plus bel et plus fier éloge. Mais elle continua : « Et il lui fallut partir à la fleur de l'âge, alors que son plus jeune fils n'avait pas six mois! Elle ne resta pas longtemps malade ; elle était calme, résignée ; seule lui faisait de la peine la pensée de ses enfants, du petit surtout. Lorsque sa fin fut proche et qu'elle me dit : « Fais-les monter! » et que je les introduisis auprès d'elle — les petits qui ne comprenaient rien et les aînés qui s'affolaient — lorsqu'ils furent près du lit et que, levant les mains, elle pria pour eux, les embrassa les uns après les autres, puis les renvoya et me dit : « Sois leur mère! » je lui en fis le serment! « Tu promets beaucoup, ma fille, dit-elle : le cœur d'une mère et l'œil d'une mère. Mais, je l'ai souvent vu à tes larmes de gratitude, tu sens ce que cela peut être. Aie pour tes frères et sœurs cet œil et ce cœur, et pour ton père la fidélité et l'obéissance d'une épouse. C'est toi qui le consoleras. » Elle demanda à le voir ; il était sorti pour nous cacher l'intolérable douleur qu'il ressentait ; le pauvre homme en était déchiré.

« Albert, tu étais dans la chambre. Entendant que l'on marchait, elle s'informa, te fit venir près d'elle, et comme elle te regarda, puis moi, l'air apaisé et calme, à la pensée que nous serions heureux, que nous serions heureux ensemble. » Albert se jeta au cou de Lotte, lui donna un baiser et s'écria : « Nous le sommes! nous le serons! » Le paisible Albert était tout bouleversé et moi, je n'avais plus conscience de moi-même.

« Werther, continua-t-elle, et une telle femme dut nous quitter! Dieu! quand je pense quelquefois qu'on laisse emporter ainsi ce que l'on a de plus cher en sa vie, et cela personne ne le sent aussi vivement que les enfants, qui longtemps encore se lamentèrent, parce que les hommes noirs avaient emporté leur maman! »

Elle se leva, je me réveillai, secoué d'émotion, je demeurai assis, tenant sa main. « Nous allons partir, dit-elle, il est temps. » Elle voulut dégager sa main, je la retins plus fortement. « Nous nous reverrons, m'écriai-je, nous nous retrouverons, sous toutes les formes nous nous reconnaîtrons ! Je pars, continuai-je, je pars volontairement, et pourtant, si je devais dire : « Pour toujours ! », cela me serait intolérable. Adieu, Lotte ! adieu, Albert ! Nous nous reverrons. » « Demain, je pense », répliqua-t-elle en plaisantant. Que n'éprouvai-je pas à ce mot de « demain » ! Ah ! elle ne savait pas, lorsqu'elle retira sa main de la mienne. Ils sortirent de l'allée ; je restai debout là, les suivant des yeux dans le clair de lune, puis je me jetai à terre, pleurant toutes mes larmes ; me relevant d'un bond, je courus jusqu'au bord de la terrasse et vis encore, là-bas, dans l'ombre des hauts tilleuls, l'éclat de sa robe blanche, vers la porte du jardin ; je tendis les bras, la tache blanche s'évanouit.

LIVRE II

Le 20 octobre 1771.

Nous sommes arrivés hier ici [106]. L'ambassadeur [107] est souffrant et doit garder la chambre quelques jours. Si seulement il n'était pas si déplaisant, tout irait bien. Je vois bien, je vois bien que le sort m'a réservé de dures épreuves. Mais courage! Une humeur légère supporte tout! Humeur légère? Cela me fait rire, que ce mot vienne sous ma plume. Oh! avec un sang un peu plus léger je serais l'homme le plus heureux sous le soleil. Quoi! là où d'autres, avec leur petit peu de facultés et de talent se pavanent devant moi, tout satisfaits d'eux-mêmes, je désespère de mes facultés à moi, de mes dons? Ô Dieu de bonté, qui m'en fis cadeau, pourquoi n'en as-tu pas retenu la moitié et ne m'as-tu pas accordé la confiance en moi-même et la modération!

Patience! patience! les choses iront mieux. Car, je le reconnais, cher ami, tu as raison. Depuis que je coudoie tous les jours ces gens-là et vois ce qu'ils font et comment ils agissent, je suis beaucoup plus satisfait de moi-même. Certes, puisque après tout nous sommes ainsi faits que nous rapportons tout à nous-mêmes et nous-mêmes à tout, notre bonheur ou notre misère réside dans les objets avec lesquels nous nous tenons en liaison et rien n'est donc plus dangereux que la solitude. Notre imagination, naturellement portée à s'exalter et nourrie des fantastiques images de la poésie, se crée une échelle des êtres, où nous occupons le degré le plus bas, et tout ce qui nous entoure paraît plus magnifique, tous les autres êtres plus parfaits. Et cela est tout naturel. Ce qui précisément nous manque, il nous semble souvent qu'un autre le possède, un autre, auquel nous attribuons en outre tout ce que nous avons et en plus une certaine satisfaction idéale. Et voilà parachevé l'heureux homme, simple création de notre esprit.

Lorsque, au contraire, avec toute notre faiblesse et

toutes nos peines nous continuons à agir, nous cons-
tatons bien souvent que, tout en allant bien doucement,
voire en louvoyant, nous arrivons plus loin que d'autres
qui font force de voiles et de rames... et... n'a-t-on pas le
sentiment de sa véritable valeur, quand l'on se voit
marcher de front avec les autres ou même les dépasser !

Le 26 novembre.

Dans une certaine mesure, je commence à ne pas me
trouver trop mal ici. Ce qu'il y a de mieux, c'est que
le travail ne manque pas ; et puis ces gens de toutes
sortes, toutes ces figures nouvelles présentent pour moi
un spectacle des plus variés. J'ai fait la connaissance du
comte C... [108], un homme pour qui ma vénération ne
fait que croître de jour en jour, un vaste et grand esprit
qui, sans donner dans la froideur, sait voir bien des choses
dans leur ensemble, un être dont le commerce révèle avec
éclat combien il est sensible à l'amitié, à l'amour. Il
s'est intéressé à moi le jour où, alors que je m'acquittais
auprès de lui d'une mission officielle, il s'aperçut dès les
premiers mots que nous nous comprenions et qu'il
pouvait parler avec moi comme il ne le ferait pas avec
n'importe qui. Et je ne puis assez me louer de ses manières ouvertes à mon égard. Il n'est pas au monde de
joie plus réelle et plus ardente que de voir une grande
âme qui s'ouvre à vous.

Le 24 décembre.

L'ambassadeur [109] me vaut bien des contrariétés, je
l'avais prévu. C'est le sot le plus pointilleux que l'on
puisse voir ; il n'avance que pas à pas, et il est minutieux
comme une vieille fille ; un être qui n'est jamais satisfait
de lui-même et que par suite personne ne saurait conten-
ter. J'aime le travail rondement mené et tel qu'il est je le
laisse ; lui, il est homme à me rendre un mémoire en me
disant : « C'est bien, mais revoyez-le, on trouve toujours
un mot bien meilleur, une particule mieux appropriée. »
Je me donnerais alors au diable ! Il ne doit pas manquer
un seul « et », une seule conjonction, et de toutes les
inversions [110]. qui parfois m'échappent, il est l'ennemi
mortel ; si on ne lui moud pas ses périodes selon la
mélodie traditionnelle, il n'y comprend plus rien. C'est
un supplice que d'avoir affaire à pareil être.

La confiance du comte de C... reste la seule compensation qui me dédommage. Il m'a dit récemment, en

toute franchise, combien il était mécontent de la lenteur et des scrupules de mon ambassadeur. Ces gens-là rendent la vie difficile pour eux et pour les autres, disait-il, mais il faut s'y résigner, tout comme le voyageur qui doit franchir une montagne ; assurément, si la montagne n'était pas là, le chemin serait bien plus commode et plus court ; mais elle est là, il faut la franchir !

Mon patron flaire d'ailleurs bien que le comte me préfère à lui et, vexé, il saisit toute occasion de le rabaisser à mes yeux. Je fais, bien entendu, la contre-partie, et cela n'en va que plus mal. Hier, il m'a même mis en colère, car j'étais visé, moi aussi : « Aux affaires mondaines, disait-il, le comte s'entend fort bien, il a le travail facile et manie la plume fort aisément, mais comme tous les beaux esprits, il manque de connaissances solides. » Et avec cela un air qui voulait dire : Sens-tu la pointe ? Le trait fut sans effet sur moi, car je méprisais l'homme capable de penser et de se comporter de la sorte. Lui tenant tête [111], je m'escrimai non sans vigueur. « Le comte, répondis-je, est un homme pour lequel on ne peut avoir que du respect, tant à cause de son caractère qu'à cause de son savoir. Je n'ai, continuai-je, connu personne qui ait pareillement réussi à développer son esprit, à l'appliquer à d'innombrables objets et qui ait pourtant conservé un intérêt si actif pour la vie courante. » Mais, pour cette pauvre cervelle c'était de l'hébreu et je pris congé, craignant qu'à force de déraisonner il ne m'échauffât encore plus la bile.

Et la faute en est à vous tous qui, par votre rabâchage, m'avez courbé sous ce joug, à vous qui m'avez tant dit de merveilles de l'activité. L'activité ! S'il ne travaille pas plus que moi, celui qui plante ses pommes de terre et s'en va à la ville vendre son grain, je consens à m'échiner encore dix ans sur la galère à laquelle je suis maintenant rivé.

Et cette brillante misère, cet ennui qui règnent parmi les odieuses gens que l'on voit ici côte à côte ! Cette recherche des honneurs qui les tient sans cesse en éveil pour guetter l'occasion de gagner un pauvre petit pas sur les autres ! Ces misérables, ces pitoyables passions mises à nu ! Voici par exemple une femme qui parle à tout venant de ses ancêtres, de ses terres, si bien qu'un étranger ne peut que se dire : « C'est une toquée qui, grisée par quelques quartiers de noblesse et le renom de

son domaine s'imagine monts et merveilles. » Mais il y a
bien pis encore : cette femme-là est du pays, c'est la
fille d'un secrétaire de bailliage! Vois-tu, je ne puis
comprendre un genre humain assez peu sensé pour
s'abaisser à de telles sornettes.

Il est vrai que de jour en jour je vois mieux combien
l'on est fou, cher ami, de vouloir juger autrui d'après
soi-même. Et comme j'ai tant à faire avec moi seul,
comme mon cœur est si plein de tempêtes... ah! je
laisse volontiers les autres suivre leur chemin... Pourvu
qu'eux me laissent suivre le mien!

Ce qui me fâche le plus, ce sont les odieuses conventions sociales. Certes, je sais aussi bien que quiconque
à quel point est nécessaire la différence des conditions,
combien d'avantages elle me procure à moi-même ;
seulement, je ne veux pas qu'elle se trouve sur mon
chemin, là précisément où je pourrais encore goûter un
peu de joie, avoir un peu de bonheur sur cette terre. Je
fis récemment au cours d'une promenade la connaissance
d'une demoiselle de B... [112], aimable créature qui a gardé
beaucoup de naturel au milieu de cette vie guindée.
Nous eûmes plaisir à converser et au moment de nous
séparer je lui demandai la permission de lui faire une
visite. Elle me l'accorda de si bonne grâce que je pus à
peine attendre le moment convenable pour me rendre
chez elle. Elle n'est pas d'ici et habite chez une tante. La
physionomie de la vieille dame ne me plut pas. Je lui
témoignai beaucoup d'attentions, m'adressai le plus
souvent à elle, et en moins d'une demi-heure j'eus
deviné à peu près tout ce que par la suite Mlle de B...
m'avoua elle-même ; la chère tante manque de tout
dans sa vieillesse, sa fortune est insuffisante, elle n'a
pas d'intelligence et n'a d'autre appui que la lignée de
ses ancêtres, et d'autre abri que la condition sociale
derrière laquelle elle se retranche ; son unique plaisir
est de regarder du balcon de son étage par-dessus les
têtes des bourgeois. Elle passe pour avoir été belle dans
sa jeunesse, où elle vécut dans une légèreté folâtre, et
pour avoir tourmenté plus d'un pauvre garçon par ses
caprices ; une fois parvenue à la maturité elle se plia
sous la volonté d'un vieil officier qui, à ce prix et en
échange d'un modeste entretien, passa avec elle l'âge
d'airain, puis mourut. Maintenant, à l'âge de fer [113],
elle vit seule et nul ne ferait attention à elle, si sa nièce
n'était si aimable.

Le 8 janvier 1772.

De quelle espèce sont donc tous ces gens, dont l'âme n'a pour assise que l'étiquette, dont toutes les pensées et tous les efforts ne tendent pendant des années qu'à avancer d'un siège vers le haut bout de la table? Et qu'on ne croie pas que ce soit manque d'occupation : non, le travail au contraire s'accumule, précisément parce que les petits embêtements vous empêchent d'expédier toutes les affaires importantes. La semaine dernière, lors de la partie de traîneau, on se disputa [114] et tout le plaisir en fut gâché.

Insensés, qui ne voient pas qu'au fond ce n'est pas du tout la place qui compte, et que celui qui occupe la première joue bien rarement le premier rôle! Que de rois gouvernés par un ministre et de ministres par un secrétaire! Et qui donc est le premier? C'est, à mon avis, celui qui domine tous les autres et possède assez d'énergie ou de ruse pour atteler leur facultés et leurs passions à l'exécution de ses plans.

Le 20 janvier.

Il me faut vous écrire, chère Lotte, ici, dans la petite salle d'une modeste auberge de campagne, où un gros orage m'obligea à chercher refuge. Depuis que, dans le morne trou de D... [115], je vais et viens dans ce milieu étranger, entièrement étranger à mon cœur, je n'ai pas eu un instant, pas un seul, où mon cœur ne m'ait pas ordonné de vous écrire ; et maintenant, ici, dans cette chaumière, dans cette solitude, dans ce réduit, alors que neige et grêle font rage contre la petite fenêtre, en ce lieu, vous avez été ma première pensée. A peine étais-je entré que votre image s'est imposée à moi, ô Lotte! votre souvenir si sacré, si ardent! Ô, Dieu de bonté! De nouveau un instant de bonheur! le premier!

Si vous me voyiez, ô ma très chère! dans un tourbillon de distractions! comme mes sens se dessèchent! Pas un moment de plénitude du cœur [116], pas une heure de félicité! rien! rien! Je suis là comme devant un kaléidoscope [117], je vois ces petits êtres, hommes et chevaux, passer devant moi ; et je me demande souvent si ce n'est pas simple illusion d'optique. Et je joue mon rôle, avec eux, ou plutôt on me fait jouer comme à une marionnette ; quand parfois je touche la main de mon voisin, je la sens de bois et je recule en frissonnant. Le soir, je me propose d'admirer le lever du soleil et je ne puis sortir de mon lit ; le jour, j'espère jouir du clair de lune et je reste dans ma chambre. Je ne sais pas bien pourquoi je me lève, pourquoi je me couche.

Le levain qui mettait ma vie en fermentation me fait défaut ; l'enchantement qui me tenait éveillé jusqu'au cœur de la nuit, a disparu ; le charme qui le matin me tirait hors du sommeil a fui [118].

Le seul être féminin que j'aie trouvé ici est une demoiselle de B... ; elle vous ressemble, chère Lotte, si l'on peut vous ressembler. Eh! allez-vous dire, le voilà qui se met à faire des compliments mignards. Ce n'est pas absolument faux. Depuis quelque temps, je suis très aimable, ne pouvant en somme être autrement ; j'ai bien de l'esprit, et les dames disent que personne ne sait comme moi louer finement (et mentir, ajouterez-vous, car l'un ne va pas sans l'autre, vous l'entendez?). Mais je voulais vous parler de Mlle B... Elle a une grande richesse d'âme [119], ce qui se devine au regard de ses yeux bleus. Son rang lui est à charge, car il ne satisfait aucun des désirs de son cœur. Elle voudrait être loin de cette agitation, nous rêvons maintes heures d'une félicité sans mélange dans des sites champêtres et nous vous évoquons, ô Lotte! Ah! que de fois ne doit-elle pas vous rendre hommage! Non pas, c'est de bon gré qu'elle le fait : elle entend si volontiers parler de vous, elle vous aime.

Oh! que ne suis-je assis à vos pieds, dans la chère intimité de votre pièce, nos chers petits se roulant tous sur le plancher autour de moi, et s'ils venaient à vous importuner par leur bruit, je les rassemblerais autour de moi pour les apaiser par quelque conte fantastique.

Le soleil se couche, splendide, sur la campagne toute brillante de neige, la tempête est loin, et moi... il faut aller m'enfermer à nouveau dans ma cage... Adieu! Albert est-il près de vous? Et en quelle qualité?... Que Dieu me pardonne cette question!

Le 8 février [120].

Nous avons depuis une huitaine le temps le plus abominable qui soit, mais il me fait du bien. Car depuis que je suis ici, pas un seul beau jour ne parut au ciel sans qu'un importun vienne me le gâter ou gâcher. Lorsque donc il pleut à verse, ou qu'il neige, ou qu'il

gèle, ou qu'il dégèle je me dis : « Ah! on ne peut pas
être plus mal à la maison que dehors! » — ou inversement — et tout va bien. Mais si, le matin, le soleil
levant promet une belle journée, je ne puis jamais me
défendre de m'écrier : « Allons! voici une fois de plus
un présent du ciel dont ils pourront se gâcher réciproquement la jouissance. » Il n'est rien qu'ils ne se gâchent
réciproquement. Santé, bonne réputation, joie, délassement! Et la plupart du temps par niaiserie, par incom-
préhension, par étroitesse d'esprit, et, à les entendre,
dans la meilleure intention du monde. Parfois j'ai envie
de les prier à genoux de ne pas s'acharner ainsi contre
eux-mêmes, de ne pas déchirer avec une telle rage leurs
propres entrailles.

Le 17 février.

Mon ambassadeur et moi, je le crains, nous ne tien-
drons plus ensemble bien longtemps. Cet homme est
purement et simplement intolérable. Sa façon de travailler et de traiter les affaires est si ridicule que je ne puis
m'empêcher de le contredire, de faire souvent à ma tête
et d'agir à ma guise et naturellement cela n'est jamais à
son gré. Il a donc, dernièrement, adressé à la cour une
plainte contre moi [121], et le ministre m'a envoyé une
réprimande, légère, sans doute, mais qui n'en était pas
moins une. Aussi étais-je sur le point de lui offrir ma
démission, quand j'ai reçu de lui une lettre particulière *,
une lettre devant laquelle je me suis agenouillé pour
adorer ce grand esprit, noble et sage. Comme il sait
rappeler à l'ordre ma trop grande susceptibilité, comme
il respecte ma conception exaltée de l'activité, de l'influence sur autrui, de l'esprit d'initiative dans les affaires,
conception dans laquelle il reconnaît l'heureuse ardeur
de la jeunesse! Et il ne cherche pas à l'extirper, mais
seulement à la tempérer, à l'orienter dans la voie où
elle peut trouver son vrai champ d'action, produire
avec vigueur ses effets. Aussi me suis-je retrouvé fort
pour huit jours et libéré de l'indécision intérieure.
La paix de l'âme, quelle chose magnifique! et aussi la
joie en soi-même! Cher ami, si seulement ce joyau
n'était pas aussi fragile qu'il est beau et précieux!

* Note de Gœthe. Par respect pour ce si noble personnage, on
a supprimé du présent recueil la lettre en question et une autre dont
il sera fait mention plus loin, car l'on n'a pas cru qu'une telle hardiesse
pût être excusée même par la plus chaleureuse gratitude du public.

Le 20 février.

Que Dieu vous bénisse, ô mes amis, et vous donne toutes les bonnes journées qu'il me retire!

Je te remercie, Albert, de m'avoir abusé : j'attendais la lettre qui m'annoncerait quel jour aurait lieu votre mariage, et je m'étais promis d'enlever, ce jour-là, très solennellement, la silhouette de Lotte épinglée à ce mur pour l'ensevelir parmi d'autres papiers. Vous voilà unis et son image est encore là! Eh bien, qu'elle y reste [122]! Et pourquoi pas? Je sais bien que, moi aussi, je suis auprès de vous, que sans te faire tort je suis dans le cœur de Lotte, que j'y occupe, oui, que j'y occupe la seconde place, une place que je veux, que je dois conserver. Oh! je deviendrais fou furieux, si elle pouvait oublier... Albert, dans cette seule pensée il y a un enfer. Albert, adieu! Adieu, ange du ciel! Adieu, Lotte!

Le 15 mars.

Je viens d'essuyer un affront qui me chassera d'ici. J'en grince des dents! Par tous les diables! il n'y a pas de compensation possible, et la faute en est à vous seuls, car vous m'avez talonné, pressé, tourmenté pour me faire prendre un emploi qui ne me convenait pas. Eh bien, me voilà servi! et vous aussi! Et pour que tu ne dises pas encore que mon exaltation gâte tout, voici, cher monsieur, un récit tout uni, tout net, tel qu'un chroniqueur pourrait le rédiger.

Le comte de C... m'aime et me distingue, c'est chose connue et je te l'ai dit cent fois déjà. Or, j'étais invité à sa table hier, juste le jour où, dans la soirée, se réunit chez lui la haute société des deux sexes ; je n'ai jamais pensé à ces gens-là et il ne m'est jamais venu à l'esprit que nous autres, subalternes, ne fussions pas à notre place parmi eux. Bon. Je dîne donc chez le comte et après le repas nous nous promenons de long en large dans le grand salon; je m'entretiens avec lui, avec le colonel B... [123] qui survient, et ainsi approche l'heure de la réception. Je ne pense à rien, Dieu le sait. Voilà qu'entre la très noble dame de S... avec monsieur son époux et mademoiselle leur petite oie de fille bien couvée, poitrine plate et taille bien pincée dans son corset ; ils font, en passant [124], leurs traditionnels et très aristocratiques froncements de sourcils et de nez ; cette engeance m'étant cordialement odieuse, j'allais prendre

congé et je n'attendais que l'instant où le comte serait
délivré de leur affreux bavardage, lorsque ma chère
demoiselle B... entra. Comme mon cœur se dilate toujours un peu, à sa vue, eh bien! je restai, me plaçai derrière sa chaise et il me fallut un certain temps pour
m'apercevoir qu'elle me parlait d'un air moins ouvert
que d'habitude, voire avec quelque embarras. Cela me
frappa. Serait-elle donc comme tout ce beau monde-
là? me dis-je, et, piqué, je voulus m'en aller; pourtant
je restai là, car j'aurais aimé lui trouver une excuse,
je ne pouvais y croire et j'espérais encore d'elle une
bonne parole... et tout ce que tu voudras! Cependant
les invités emplissent le salon. Le baron F..., avec toute
sa garde-robe qui date du couronnement de François Ier [125], le conseiller aulique R..., qualifié ici de
monsieur de R..., avec sa sourde moitié, etc., sans oublier J..., le mal-équipé, qui rapièce avec des chiffons
à la mode sa défroque surannée : tout ce monde arrive
en masse et j'adresse la parole à quelques personnes
de ma connaissance, mais toutes se montrent très
laconiques. Tout entier à mes pensees, je n'avais
d'attention que pour ma chère B... Je ne m'apercevais
pas que, dans le fond du salon, ces dames se parlaient
à l'oreille, que les chuchotements gagnaient les hommes,
que Mme de S... tenait un discours au comte — tout
cela, c'est Mlle B... qui ensuite me l'a raconté — tant
qu'enfin le comte vint à moi et m'attira dans l'embra-
sure d'une fenêtre : « Vous connaissez, me dit-il, notre
étrange étiquette; la société est, je le vois, mécontente
de votre présence ici. Je ne voudrais pour rien au
monde... — Excellence, dis-je en l'interrompant, je
vous demande mille fois pardon; j'aurais du y penser
plus tôt, mais je sais que vous excuserez cette inconsé-
quence; je voulais tout à l'heure prendre congé, un
mauvais génie m'a retenu », ajoutai-je en m'inclinant
avec un sourire. Le comte me serra les deux mains
d'une manière qui disait tout. Sans bruit, je m'esquivai
de cette noble compagnie, j'allai prendre un cabriolet
et je partis pour M..., afin d'assister du haut de la
colline au coucher du soleil, en lisant dans mon Homère
le magnifique chant où Ulysse reçoit l'hospitalité de
l'excellent porcher [126]. Tout était à souhait.

Le soir, je revins en ville pour souper; il y avait
encore dans la salle à manger un petit nombre de personnes, qui jouaient aux dés sur un coin de la table,

après avoir relevé la nappe. Arrive le brave Adelin ;
il pose son chapeau tout en me regardant, vient à moi
et me dit à voix basse : « Tu as eu un ennui. — Moi ?
fis-je. — Le comte t'a fait sortir de sa réception. — Au
diable la réception ! dis-je, j'ai été fort aise de me retrouver au grand air. — Tant mieux, dit-il, si tu le prends
d'un cœur léger ; ce qui m'ennuie simplement, c'est
que cela court déjà partout. » C'est alors seulement
que l'histoire commença à me ronger. De tous ceux
qui venaient souper et portaient les yeux sur moi je
pensais : c'est pour cela qu'ils te regardent ! Cela
m'échauffait le sang.

Et comme aujourd'hui, partout où je vais on me
plaint, comme on me rapporte que ceux qui m'en-
viaient maintenant triomphent et disent : on voit bien
ce qui arrive aux présomptueux assez fiers de leur peu
de cervelle pour croire qu'ils ont le droit de passer
par-dessus toutes les conventions sociales... et tant
d'autres âneries ; alors, on se planterait volontiers un
poignard dans le cœur ; car on a beau exalter l'indépendance de caractère, je voudrais bien voir l'homme
capable de tolérer que des marauds clabaudent sur
son compte, quand ils ont prise sur lui ; si leur bavardage est vide, alors il est aisé de les laisser dire.

Le 16 mars.

Tout me pourchasse ! Aujourd'hui, rencontrant dans
l'avenue Mlle B..., je n'ai pu me retenir de l'aborder
et, dès que nous nous fûmes un peu écartés, de lui dire
la peine que me causaient ses nouvelles façons. « Ô
Werther, me dit-elle d'un ton pénétré, comment avez-
vous pu interpréter ainsi ma confusion, vous qui
connaissez mon cœur ? Que n'ai-je pas souffert pour
vous, dès l'instant où j'entrai dans le salon ! Je prévoyais
tout, j'ai eu cent fois la langue levée pour vous le dire.
Je savais que cette de S... et cette de T... quitteraient
la place avec leurs maris plutôt que de rester en votre
compagnie ; je savais que le comte ne peut pas se
brouiller avec eux... et maintenant tout ce bruit !
— Comment cela, mademoiselle ? » demandai-je en
cachant mon effroi, car à cet instant tout ce qu'Adelin
m'avait dit avant-hier courut dans mes veines comme
de l'eau bouillante « Qu'il m'en a déjà coûté ! » répondit
la douce créature, tandis que ses yeux s'emplissaient
de larmes. Incapable de me maîtriser, je fus sur le point

de me jeter à ses pieds. « Expliquez-vous ! » m'écriai-je.
Les larmes coulèrent sur ses joues. J'étais hors de moi.
Elle les essuya, sans chercher à les dissimuler. « Vous
connaissez ma tante, commença-t-elle ; elle était présente, et de quel œil n'a-t-elle pas vu la scène ! Werther,
il m'a fallu subir hier soir et ce matin encore un sermon
sur mes relations avec vous, il m'a fallu entendre
comme elle vous rabaissait, vous humiliait, et je ne
pouvais et ne devais vous défendre qu'à demi. »
   Chacune de ses paroles me transperçait le cœur
comme un glaive. Elle ne sentait pas à quel point il
eût été charitable de me taire tout cela ; elle renchérit
encore pour me dire quels commérages allaient continuer, quelle sorte de gens allaient triompher. Et quelle
joie chatouillerait en me voyant puni ceux qui me
reprochaient depuis longtemps déjà mon orgueil et
le peu de cas que je fais d'autrui ! Entendre tout cela
de sa bouche, Wilhelm, et dit avec l'accent de la sympathie la plus vraie ! J'étais anéanti, et j'en ai encore la
rage au cœur. Je voudrais que quelqu'un eût le front
de m'adresser tous ces reproches afin de pouvoir lui
passer mon épée au travers du corps ; à voir du sang,
je me sentirais mieux. Ah ! cent fois j'ai saisi un couteau
pour donner de l'air à mon cœur oppressé [127]. On parle
d'une noble race de chevaux qui, lorsqu'ils sont terri-
blement échauffés et excités par la course, ont l'instinct
de s'ouvrir eux-mêmes une veine d'un coup de dent,
afin de respirer plus librement. Il en est ainsi pour
moi, bien souvent : je voudrais m'ouvrir une veine
afin de me procurer la liberté éternelle.

                                        Le 24 mars.

   J'ai envoyé ma démission à la cour ; j'espère l'obtenir
et vous me pardonnerez de ne vous avoir pas au préa-
lable demandé votre autorisation. Il me fallait partir
et tout ce que vous aviez à me dire pour me convaincre
de rester, je le connais et donc... Présente la nouvelle
à ma mère avec douceur ; je ne puis rien pour moi-
même et il lui faut se faire à l'idée que je ne peux rien
non plus pour elle. Certes elle en souffrira. Voir son
fils interrompre si soudainement une carrière au
terme de laquelle il pourrait être un jour conseiller
secret, arrêter soudain la course et ramener son cheval
à l'écurie ! Faites-en ce que vous voudrez, combinez
toutes les éventualités qui auraient pu et dû me con-

duire à rester : il suffit, je pars ; et afin que vous sachiez
où je vais, je vous dirai qu'il y a ici le prince de X...
qui se plaît en ma compagnie et qui, apprenant mon
dessein, m'a prié de le suivre dans son domaine pour y
passer ce beau printemps. Je n'aurai à m'occuper que
de moi-même, il me l'a promis, et comme nous nous
entendons jusqu'à un certain point, je vais donc courir
ma chance et partir avec lui.

POST-SCRIPTUM

Le 19 avril.

Merci pour tes deux lettres. Je n'ai pas répondu
parce qu'avant de t'expédier celle-ci j'ai attendu d'avoir
reçu de la cour mon congé ; je craignais que ma mère
ne s'adressât au ministre et n'entravât mon projet.
Mais c'est fait, mon congé est là, Je ne veux pas vous
dire avec quel regret il me fut accordé, ni ce que le
ministre m'écrit : vous éclateriez de nouveau en lamentations. Le prince héritier m'a envoyé, comme adieu,
vingt-cinq ducats, avec quelques mots qui m'ont ému
aux larmes ; je n'ai donc pas besoin de l'argent que
récemment j'avais demandé à ma mère.

Le 5 mai.

Demain je quitte ces lieux et, comme ma ville natale
n'est qu'à six lieues de ma route, j'irai la revoir, elle
aussi, j'irai me remettre en mémoire les jours lointains
passés en des rêves heureux. Par la même porte que
nous avons franchie, ma mère et moi, lorsque, après
la mort de mon père, elle quitta ce cher endroit si
intime pour aller s'enfermer dans sa ville insupportable. Adieu, Wilhelm, tu auras des nouvelles de mon
expédition.

Le 9 mai.

J'ai accompli le pèlerinage à mon pays natal [128] avec
tout le recueillement d'un fidèle et bien des sentiments
m'ont saisi, auxquels je ne m'attendais pas. Près du
grand tilleul qui se dresse à un quart d'heure de la
ville, sur le chemin de S..., je fis arrêter, descendis

de voiture et dis au postillon de continuer, car je voulais
arriver à pied pour savourer chacun de mes souvenirs
dans toute sa nouveauté et sa vivacité, selon mon cœur.
Me voilà donc sous ce tilleul qui jadis, dans mon
enfance, avait été le but et le terme de mes promenades. Quel changement! Alors, dans mon heureuse
ignorance, j'aspirais à m'en aller vers un monde
inconnu, où j'espérais pour mon cœur tant d'aliments,
tant de jouissances, capables d'emplir et apaiser mon
sein travaillé de désirs. Et me voici revenu de ce vaste
monde... ô mon ami, avec tant d'espérances anéanties,
tant de projets détruits! — Je regardai, étendues
devant moi, les montagnes qui des milliers de fois
avaient été l'objet de mes vœux. De longues heures
j'avais pu demeurer assis en ce lieu, laissant ma nostalgie s'envoler vers ces hauteurs et mon âme tout entière
se perdre dans ces forêts, dans ces vallées qui s'offraient
à mes regards voilées de brumes amicales; et quand, à
l'heure fixée, il me fallait rentrer, avec quel regret je
quittais malgré moi un coin si cher! — J'approchai
de la ville, je saluai les vieilles maisonnettes entourées
de jardins, que j'avais bien connues; les neuves me
déplurent fort, comme aussi toutes les autres modifi-
cations récentes. Je franchis la porte de la ville et me
retrouvai aussitôt tout entier. Cher ami, je n'entrerai
pas dans les détails, car autant ils avaient de charme
pour moi, autant le récit en serait monotone. J'avais
décidé de me loger place du Marché, tout près de notre
vieille maison. En m'y rendant, je constatai que la
salle de classe, où une brave vieille femme avait parqué
notre enfance, était transformée en mercerie. Je me
rappelai l'inquiétude, les pleurs, la torpeur d'esprit, les
serrements de cœur que j'avais endurés dans cet antre...
Je ne pouvais faire un pas qui ne suscitât quelque
remarque. Un pèlerin en Terre sainte ne trouve pas
tant de lieux évocateurs de souvenirs sacrés, et je doute
que son âme soit aussi pleine de religieux émoi...
Un trait encore, un trait entre mille. Je descendis le
long de la rivière, jusqu'à une certaine ferme; c'était
aussi jadis ma promenade et c'était l'endroit où nous
autres, enfants, nous nous entraînions à faire le plus
grand nombre de ricochets. Avec quelle vivacité je
me souvins des heures où il m'arrivait de rester immo-
bile, de suivre l'onde du regard, de la poursuivre avec
de merveilleux pressentiments, de me représenter

dans mon esprit aventureux les régions vers lesquelles elle s'écoulait et, mon imagination se heurtant bientôt à ses limites, je m'obligeais à continuer toujours plus loin jusqu'à me perdre tout entier dans la contemplation de lointains invisibles. Oui, mon cher ami, tout aussi limités et tout aussi heureux étaient les admirables patriarches! tout aussi naïfs leurs sentiments et leur poésie! Lorsque Ulysse parle de la mer sans limites et de la terre sans fin, cela est si vrai, si humain, si profond, si condensé, si mystérieux! A quoi me sert de pouvoir aujourd'hui répéter avec chaque écolier que cette terre est ronde? Il n'en faut à l'homme que quelques mottes, pour savourer sur elle le bonheur, moins encore pour trouver sous elle le repos [129].

Me voici maintenant au pavillon de chasse du prince. On peut, en somme, fort bien vivre avec ce seigneur; il est franc et simple. Il y a autour de lui de singuliers personnages, que je ne comprends pas du tout. Ils n'ont pas l'air de coquins et pourtant ils n'ont pas non plus la mine d'honnêtes gens. Parfois ils me semblent honnêtes et néanmoins je ne puis pas me fier à eux [130]. Ce qui me peine aussi, c'est que le prince parle souvent de choses qu'il n'a fait qu'entendre ou lire et qu'il en parle chaque fois du point de vue où un autre a pu les lui présenter.

J'ajouterai qu'il apprécie mon esprit et mes talents plus que mon cœur, qui est pourtant mon unique orgueil, qui est l'unique source de tout, de toute force, de toute félicité, et de toute misère. Ah! ce que je sais, chacun peut le savoir aussi — mon cœur, je suis seul à l'avoir [131].

Le 25 mai.

J'avais en tête un projet, dont je ne voulais rien vous dire avant de l'avoir réalisé; puisqu'il n'en sera rien maintenant, autant vous le dire. Je voulais partir à la guerre; longtemps cela m'a tenu à cœur. Et c'est la raison principale pour laquelle j'ai suivi le prince, qui est général au service de... Au cours d'une promenade, je me suis ouvert à lui de ce projet; il me l'a déconseillé, et pour refuser de prêter l'oreille à ses raisons, il aurait fallu que mon désir fût passion plus que caprice.

Le 11 juin.

Dis ce que tu voudras, je ne puis rester plus longtemps. Que faire ici ? Le temps me dure. Le prince
me traite on ne peut mieux et pourtant je ne suis pas
à ma place. Au fond, nous n'avons rien de commun.
Lui est un homme de l'intelligence, mais d'une intelligence tout ordinaire ; sa fréquentation ne présente pas
plus d'intérêt pour moi que la lecture d'un livre bien
écrit. Huit jours encore et je reprendrai ma vie errante.
Ce que j'ai fait de mieux ici, ce sont des dessins. Le
prince a le sens de l'art, et ce sens serait plus aigu
encore s'il n'était pas borné par un affreux esprit
scientifique et par la terminologie ordinaire. Parfois
je grince des dents, lorsque je le promène avec toute
la chaleur de mon imagination à travers l'art et la
nature et je l'entends soudain qui, pensant faire mer-
veille, me lance lourdement quelque terme banal du
jargon esthétique.

Le 16 juin.

Oui certes, je ne suis qu'un voyageur, un pèlerin
sur cette terre ! Êtes-vous donc davantage [132] ?

Le 18 juin.

Où j'irai ? Je vais te le dire en confidence. Il me
faudra bien rester ici une quinzaine encore ; puis — du
moins je fais semblant de le croire — je voudrais visiter
les mines de... ; au fond il n'en est rien : je ne veux que
me rapprocher de Lotte, voilà tout [133]. C'est que je
ris de mon propre cœur... et je lui passe toutes ses
volontés.

Le 29 juillet.

Non, c'est bien ! tout est bien ! — Moi..., son mari !
Ô Dieu qui me créas, si tu m'avais réservé cette félicité,
ma vie tout entière ne serait qu'adoration sans fin.
Je ne veux pas discuter avec toi ; pardonne-moi ces
larmes, pardonne-moi mes vains souhaits ! — Elle,
ma femme ! Elle, la plus aimable créature qui soit sous
le soleil, si je l'avais serrée dans mes bras... Un frisson
me parcourt tout entier, Wilhelm, quand je vois Albert
enlacer son corps si svelte.

Et l'oserai-je dire ? Pourquoi pas, Wilhelm ? Avec
moi elle aurait été plus heureuse qu'avec lui ! Oh ! lui

n'est pas l'homme capable de remplir tous les vœux de son cœur. Un certain manque de sensibilité, un manque de... appelle cela comme tu le voudras ; le fait que son cœur ne bat pas en sympathie avec le nôtre, par exemple à la lecture de quelque passage d'un livre qui nous est cher, où mon cœur à moi et celui de Lotte se rencontrent et ne font plus qu'un, ou bien en cent autres occasions, lorsqu'il nous arrive d'exprimer nos sentiments sur les actes d'un tiers. Cher Wilhelm !... Il l'aime de toute son âme, il est vrai, et que ne mérite pas un tel amour !

Un importun m'a interrompu. Mes larmes sont séchées. Je suis distrait. Adieu, cher ami.

Le 4 août.

Mon sort n'est pas unique. Tous les mortels se voient déçus dans leurs espérances, trompés dans leur attente. Je suis allé voir ma brave femme des tilleuls. L'aîné des garçons courut à ma rencontre et ses cris de joie firent venir sa mère, qui paraissait très abattue. Son premier mot fut : « Mon bon monsieur, hélas ! mon petit Jeannot est mort ! » C'était le plus jeune des garçons. Je demeurai muet... « Et mon mari, dit-elle, est revenu de Suisse, d'où il n'a rien rapporté, et sans quelques bonnes gens il aurait dû mendier pour se tirer d'affaire ; la fièvre l'avais pris en route. » Incapable de lui rien dire, je donnai un peu d'argent à l'enfant ; elle me pria d'accepter quelques pommes, ce que je fis, puis je quittai ce lieu du triste souvenir.

Le 21 août.

En un tournemain mon humeur change. Parfois, me semble-t-il, ma vie va de nouveau s'éclairer d'un joyeux rayon, mais hélas ! ce n'est que pour un instant... Quand je me perds ainsi dans mes rêveries, je ne puis me défendre de cette pensée : Et si Albert mourait ? Tu serais !... Oui, elle serait !... Et je poursuis cette chimère jusqu'à ce qu'elle m'amène au bord d'abîmes devant lesquels je recule en tremblant.

Lorsque, sortant de la ville, je reprends le chemin que je suivis la première fois pour aller chercher Lotte et la conduire au bal, ah ! quel changement total ! Tout s'est évanoui, tout ! Plus un seul vestige du monde passé, plus un seul battement de cœur, qui rappelle mes sentiments d'alors. J'éprouve ce que doit éprouver

un fantôme retrouvant incendié et détruit le palais
que jadis, prince prospère, il avait construit, doté de
toutes les magnificences et, plein d'espoir, légué en
mourant à son fils bien-aimé.

Le 3 septembre.

Parfois je ne comprends pas comment un autre peut
l'aimer, a le droit de l'aimer, alors que mon amour
pour elle est si exclusif, si profond, si plein, alors que
je ne connais, que je ne sais, que je ne possède rien
d'autre qu'elle.

Le 4 septembre [134].

Oui, il en est ainsi. De même que la nature décline
vers l'automne, de même l'automne me pénètre et
m'entoure. Je suis un arbre dont les feuilles jaunissent,
alors que celles de ses voisins déjà ont chu à terre. Ne
t'avais-je pas jadis, dès mon arrivée ici, parlé d'un
jeune valet de ferme ? Je me suis informé de lui à
Wahlheim ; on me dit qu'il avait été chassé, mais nul
ne voulait en savoir plus long à son sujet. Hier je le
rencontrai par hasard sur le chemin qui mène à un
autre village, je l'interpellai et il me dit son histoire,
qui m'a doublement et triplement touché, comme tu
le comprendras sans peine quand je te l'aurai rapportée.
Mais à quoi bon tout cela ? Pourquoi ne pas garder
pour moi ce qui m'angoisse et m'afflige ? Pourquoi
t'attrister toi aussi ? Pourquoi te fournir sans cesse
l'occasion de me plaindre et de me gronder ? Soit ! si
cela fait également partie de ma destinée.

Le jeune homme ne me répondit d'abord qu'avec
une calme tristesse, qui n'allait pas, me semble-t-il,
sans une certaine timidité effarouchée ; mais il ne tarda
pas à s'ouvrir, comme si soudain il se découvrait et
me reconnaissait à la fois, il m'avoua ses fautes et il me
fit le récit de sa lamentable infortune. Que ne puis-je,
mon ami, soumettre à ton jugement chacune de ses
paroles ! Il confessa, que dis-je ! il éprouvait une sorte
de jouissance et de bonheur à conter comment sa
passion pour sa patronne avait crû de jour en jour, si
bien qu'il avait fini par ne plus savoir ni ce qu'il faisait
ni, selon ses propres expressions, où donner de la tête.
Il ne pouvait plus ni manger, ni boire, ni dormir,
tant il avait la gorge serrée ; il faisait ce qu'il ne fallait
pas, oubliait ce qu'on lui avait commandé ; il avait

l'impression d'être poursuivi par un mauvais génie. Finalement, un jour qu'il la savait seule dans une chambre de l'étage supérieur, il la suivit, bien plutôt il se sentit poussé à la suivre. Comme elle ne voulait pas prêter l'oreille à ses prières, il avait voulu la posséder de force ; il ne savait pas ce qui s'était passé en lui et prenait Dieu à témoin que ses intentions envers elle avaient toujours été honnêtes et qu'il n'avait pas de plus ardent désir que de l'amener à l'épouser, à passer sa vie avec lui. Après avoir parlé quelque temps, il devint hésitant, comme quelqu'un qui n'en a pas encore terminé et qui n'ose pas continuer ; il finit par avouer aussi avec timidité quelles petites familiarités elle lui avait permises, jusqu'où elle l'avait laissé aller. A deux ou trois reprises il s'interrompit, ne cessant pas de protester avec la plus grande vivacité qu'il ne disait pas cela pour la noircir, selon sa propre expression, qu'il l'aimait et l'estimait comme avant, que de telles choses n'étaient jamais sorties de sa bouche jusqu'ici et qu'il me les confiait uniquement pour me convaincre qu'il n'était pas devenu fou et insensé. Et ici, mon bien cher, je reprends ma ritournelle, à laquelle je ne renoncerai jamais : que ne puis-je te présenter cet homme tel qu'il était, tel qu'il est encore devant moi! Que ne puis-je te dire tout cela comme il le faudrait, afin que tu sentes à quel point je prends part à son destin, à quel point je dois y prendre part! Il suffit, tu connais ma destinée, tu me connais aussi, tu ne sais donc que trop bien ce qui m'attire vers tous les malheureux, ce qui m'attire en particulier vers celui-là.

En relisant cette page je m'aperçois que j'ai oublié de te conter la fin de l'histoire, mais elle se devine sans peine. La fermière se défendit ; survint alors son frère, qui depuis longtemps haïssait le valet, qui depuis longtemps souhaitait le voir hors de la maison, car il craignait qu'un nouveau mariage de sa sœur, qui jusqu'ici n'avait pas eu d'enfant, ne fît perdre aux siens un héritage sur lequel il fondait de beaux espoirs. Ce frère le chassa aussitôt de la maison et il avait fait tant de bruit autour de cette affaire que sa patronne, même si elle l'avait voulu, n'aurait pas pu le reprendre. Elle avait donc engagé un autre valet, dont on disait qu'il avait également provoqué une brouille avec son frère et l'on tenait pour certain qu'elle l'épouserait, mais lui était fermement résolu à ne pas voir ce mariage.

Le récit que je t'ai fait n'est pas exagéré, n'est en
rien enjolivé, je peux même dire qu'il est faible, bien
faible et que je l'ai rendu vulgaire, en te le rapportant
dans notre langage conventionnel et policé.

Un tel amour, une telle fidélité, une telle passion ne
sont donc pas inventions de poète. Cela vit, cela atteint
sa plus grande pureté dans cette classe d'hommes que
nous nommons incultes ; que nous disons grossiers,
nous, les gens cultivés, déformés et détruits par la
culture ! Lis cette histoire avec recueillement, je t'en
prie. En te l'écrivant, je suis calme, tu vois à mon écriture que je ne gribouille pas et ne barbouille pas
comme d'habitude. Lis, mon très cher, en pensant
que c'est aussi l'histoire de ton ami. Oui, pareille chose
m'est arrivée, pareille chose m'arrivera et je n'ai pas
la moitié du courage, la moitié de la résolution de ce
pauvre malheureux auquel j'ose à peine me comparer.

Le 5 septembre [135].

Elle avait envoyé à son mari, que ses affaires rete-
naient à la campagne, un billet qui commençait ainsi :
« Mon bien cher, mon bien-aimé, viens dès que tu le
pourras, je t'attends avec mille joies. » Un ami qui survint apporta la nouvelle que certaines circonstances
retarderaient le retour d'Albert. Le billet resta là et
me tomba dans les mains, le soir. Je le lus et souris ;
elle m'en demanda la raison. « Quel présent divin
que l'imagination ! m'écriai-je ; un instant j'ai pu avoir
l'illusion que cela s'adressait à moi. » Elle brisa là,
parut choquée et je me tus.

Le 6 septembre.

Il m'en a coûté beaucoup de me résoudre à quitter
le simple frac bleu que je portais, lorsque j'ai dansé
avec Lotte pour la première fois, mais il avait fini par
être entièrement passé. Aussi m'en suis-je fait faire
un autre exactement semblable au premier avec col
et revers et en outre de nouveau un gilet et des culottes
jaunes [136].

Pourtant l'effet n'est pas entièrement le même. Je
ne sais pas... je pense qu'avec le temps ce costume me
deviendra aussi plus cher.

Le 12 septembre [137].

Elle s'était absentée quelques jours pour aller chercher Albert. Aujourd'hui j'entrai dans sa chambre, elle vint au-devant de moi et je lui baisai la main avec mille joies.

Du miroir, un canari vola sur son épaule. « Un nouvel ami, dit-elle en l'attirant sur sa main, je le destine à mes petits. Il est trop gentil. Voyez! Quand je lui donne du pain il bat des ailes et picore si joliment. Il me donne aussi un baiser. Voyez! »

Elle tendit sa bouche au petit oiseau qui se blottit dans ses douces lèvres aussi amoureusement que s'il avait pu prendre conscience de la félicité dont il jouissait.

« Je veux qu'il vous donne aussi un baiser », dit-elle en me tendant le canari. Le petit bec fit le chemin de sa bouche à la mienne et le picotement de ce contact fut comme le souffle avant-coureur d'amoureuses voluptés.

« Son baiser, dis-je, n'est pas tout à fait exempt de désir ; il cherche nourriture et une caresse vide le laisse inapaisé.

« Il mange aussi dans ma bouche », répondit-elle. Elle lui offrit quelques miettes avec ses lèvres, où souriaient avec ravissement les joies d'un amour riche d'innocente sympathie.

Je détournai les yeux. Elle ne devrait pas agir ainsi, elle ne devrait pas exciter mon imagination par ces images de céleste innocence et de félicité, elle ne devrait pas éveiller mon cœur du sommeil dans lequel le bercement de la vie indifférente le plonge parfois. Et pourquoi pas? Elle a une telle confiance en moi, elle sait comment je l'aime.

Le 15 septembre [138].

On enrage, Wilhelm, quand on voit des hommes qui n'ont aucunement le sens de ce qui sur terre possède encore malgré tout quelque valeur. Tu connais les noyers sous lesquels je me suis assis avec Lotte chez le brave pasteur de St..., ces magnifiques noyers, qui, Dieu le sait, emplissaient toujours mon âme de la plus grande satisfaction. Quelle intimité ils donnaient à la cour du presbytère! Et quelle fraîcheur! Que leurs branches étaient superbes! Et il y avait le souvenir des honnêtes ecclésiastiques qui les plantèrent, il y a tant d'années! Le maître d'école m'a souvent cité le nom de l'un d'entre eux, nom qu'il tenait de son grand-

père ; c'était un si brave homme, disait-on, et sa mémoire
me fut toujours sacrée sous ces arbres. Je te l'affirme,
le maître d'école avait les larmes aux yeux, lorsque
nous nous disions hier qu'ils avaient été abattus.
— Abattus ! C'est à en devenir enragé, à tuer le chien
qui leur a porté le premier coup. Moi, qui pourrais
me consumer de chagrin, si j'avais dans ma cour quelques arbres comme ceux-là et si l'un d'eux mourait
de vieillesse, voilà ce qu'il me faut voir. Mon bien
cher ami, il y a pourtant du bon à cela : la profondeur
du sentiment chez l'homme. Tous les habitants gro-
gnent et j'espère qu'en voyant diminuer le beurre et
les œufs et les autres témoignages de confiance la
femme du pasteur comprendra quelle blessure elle a
faite à son village. Car c'est *elle* la responsable, la
femme du nouveau pasteur [139] (l'ancien est mort, lui
aussi), une créature maigre et maladive, qui a bien
raison de ne prendre aucun intérêt au monde, puisque
personne ne s'intéresse à elle. Une toquée qui se donne
pour savante, se mêle de recherches sur le Canon [140],
travaille activement à la réforme moderne, morale et
critique du christianisme, hausse les épaules quand il
est question des « extravagances » de Lavater, a une
santé tout à fait délabrée et par suite ne trouve aucune
joie sur cette terre du Bon Dieu. Seule, une telle créature était capable d'abattre mes noyers. Vois-tu, je
n'en reviens pas. Imagine-toi cela : les feuilles qui
tombaient salissaient sa cour et la rendaient humide,
les arbres lui ôtaient la lumière du jour et quand les
noix étaient mûres, les gamins les faisaient tomber à
coups de pierres ; tout cela lui donne sur les nerfs, la
trouble dans ses profondes réflexions, tandis qu'elle
met en balance Kennikot [141], Semler [142] et Michaelis [143].
Voyant les habitants du village, surtout les vieillards,
si mécontents, je leur posai la question : « Pourquoi
l'avez-vous toléré ? — Quand dans ce pays-ci le maire
le veut, que peut-on faire ? » Pourtant sur un point je
dirai que c'est bien fait. Le pasteur voulait lui aussi
tirer quelque profit des lubies de sa femme, qui par
ailleurs ne mettent pas de beurre dans sa soupe ; il
avait donc pensé partager avec le maire ; mais voici que
la « Chambre » l'apprit et leur dit « Par ici », car elle
avait encore d'anciens droits sur la partie de la cour du
presbytère où se dressaient les noyers [144], et elle les
vendit aux enchères. Ils gisent à terre ! Oh si j'étais

prince! j'enverrais la femme du pasteur, le maire et
la chambre... Prince! Oui, mais si j'étais prince, que
m'importeraient les arbres de mon pays [145] !

Le 10 octobre.

Il me suffit de regarder ses yeux noirs et je me sens
bien. Et vois-tu, ce qui me fâche, c'est qu'Albert n'a
pas l'air aussi heureux qu'il... l'espérait, ... que je...
serais, je le crois..., si... Je n'aime pas les points de
suspension, mais ici je ne peux pas m'exprimer autrement... et cela me semble assez clair.

Le 12 octobre.

Ossian a supplanté Homère dans mon cœur [146].
Quel monde que celui où me transporte ce poète
sublime! Errer par la lande, entouré du grondement
de la tempête, qui parmi des brumes vaporeuses emporte les esprits des ancêtres à la clarté crépusculaire
de la lune! Entendre, venant de la montagne parmi les
rugissements du torrent de la forêt, les gémissements
des esprits des cavernes, que le vent à demi emporte,
et les accents plaintifs de la vierge, qui se lamente à
mort sur les quatre pierres moussues recouvertes
d'herbe, sous lesquelles gît un noble guerrier, son bien-
aimé! Quand ensuite je le trouve, le barde aux cheveux
gris [147] qui, errant à travers la vaste lande, où il cherche
les traces des pas de ses pères, n'y trouve hélas! que
leurs tombeaux et alors élève en gémissant ses regards
vers la chère étoile du soir [148], bientôt cachée dans la
mer mouvante, tandis que dans l'âme du héros revivent
ces époques passées, où un rayon de lumière amie
révélait aux vaillants les dangers menaçants, où la lune
illuminait le retour de leur nef victorieuse et ornée de
couronnes. Quand je lis sur son front son chagrin profond, quand je vois ce dernier survivant solitaire d'une
race glorieuse s'avancer vers la tombe en chancelant
d'épuisement, puiser dans la présence inerte des
ombres de ses morts des joies toujours nouvelles et
douloureusement ardentes, abaisser ses regards vers
la froide terre, vers les hautes herbes ondulantes en
s'écriant : « Il viendra, il viendra le voyageur qui m'a
connu dans ma beauté et il demandera : « Où est le
barde, le fils excellent de Fingal ? « Son pied foulera ma
tombe et c'est en vain qu'il me cherchera sur la terre [149]. »
— Alors, ô mon ami, je voudrais, tel un noble écuyer,

tirer l'épée, délivrer d'un seul coup mon prince des convulsions torturantes d'une vie trop lente à s'éteindre et laisser mon âme suivre le demi-Dieu délivré.

Le 19 octobre.

Ah! ce vide! ce vide épouvantable que je sens là, dans mon sein! Souvent je me dis : si je pouvais, ne serait-ce qu'une fois, la serrer sur mon cœur, tout ce vide serait comblé.

Le 26 octobre.

Oui, mon ami, je suis certain maintenant, je suis certain, de plus en plus certain, que l'existence d'une créature est peu de chose, fort peu de chose. Une amie est venue voir Lotte ; je passai dans une pièce voisine pour y prendre un livre, mais je ne pouvais pas lire et je pris une plume pour écrire. Je les entendais parler à voix basse ; elles se contaient des faits insignifiants, des nouvelles de la ville : celle-ci se marie, celle-là est malade, très malade. « Elle a une toux sèche, les os lui sortent du visage, il lui arrive de s'évanouir, je ne donnerais pas un liard de sa vie », disait l'amie « X... va bien mal, lui aussi », disait Lotte. « Il enfle déjà », disait l'autre. Et ma vive imagination me transportait au chevet de ces malheureux ; je les voyais, je voyais avec quel regret ils tournaient malgré eux le dos à la vie, comment... Wilhelm! Et mes bonnes femmes parlaient d'eux exactement comme on parle de la mort d'un étranger. Quand je porte mes regards autour de moi, quand j'examine cette chambre et ce qui m'environne : les vêtements de Lotte, les papiers d'Albert, ces meubles qui me sont devenus familiers et jusqu'à cet encrier, je songe : Vois ce que tu es à présent pour cette maison! Tout dans tout. Tes amis t'honorent, tu fais souvent leur joie et ton cœur semble croire qu'il ne pourrait pas vivre sans eux et pourtant, si tu t'en allais, si tu sortais de leur cercle? Sentiraient-ils, combien de temps sentiraient-ils le vide que ta perte creuserait dans leur destinée? Oh! si périssable est l'être humain que même là où il trouve en fait la certitude de son existence, là où sa présence cause la seule impression vraie, dans la pensée, dans l'âme des êtres chers, même là il lui faut s'effacer et disparaître et cela si rapidement.

Le 27 octobre.

Souvent je voudrais me déchirer la poitrine et me fracasser la tête contre le mur, quand je vois que nous pouvons si peu les uns pour les autres. Hélas! l'amour, la joie, la chaleur et la félicité que je n'apporte pas, un autre ne me les donnera pas et avec tout un cœur plein de félicité je ne pourrai pas combler de bonheur un autre homme, qui est là devant moi, sans chaleur et sans force.

Le soir [150].

J'ai tant de richesses et mon sentiment pour elle engloutit tout; j'ai tant de richesses et sans elle tout n'est plus rien pour moi.

Le 30 octobre.

Si je n'ai pas été cent fois sur le point de me jeter à son cou! Dieu tout-puissant sait ce qu'on éprouve à voir passer et repasser devant soi tant de charmes, sans avoir le droit de tendre la main vers eux, alors que prendre répond à l'instinct le plus naturel chez l'homme. Les enfants ne portent-ils pas la main sur tout ce qui leur tombe sous les yeux? Et moi?...

Le 3 novembre.

Dieu le sait! Je me mets souvent au lit avec le désir, parfois même avec l'espoir de ne pas me réveiller : et le matin, en ouvrant les yeux, je revois le soleil et je me sens misérable. Ah! que ne puis-je avoir l'humeur fantasque, rejeter la faute sur le temps, sur un tiers, sur l'échec d'une entreprise! Alors l'insupportable fardeau d'une vie vécue à contrecœur ne reposerait du moins qu'à demi sur moi. Malheur à moi! Je ne le sens que trop, c'est à moi qu'incombe toute la faute... La faute? Non. C'est bien assez qu'en moi se trouve cachée la source de toute misère, comme jadis la source de toute félicité. Ne suis-je donc plus le même, ne suis-je plus celui qui jadis planait dans toute la plénitude du sentiment, qui voyait sur chacun de ses pas surgir un paradis, qui avait un cœur assez riche d'amour pour étreindre tout un monde [151]? Et ce cœur à présent est mort, nul ravissement ne s'en épanche plus; mes yeux sont desséchés, mes sens ne sont plus réconfortés par des larmes rafraîchissantes et mon front se contracte d'angoisse. Je souffre beaucoup, car j'ai perdu les seules délices de mon cœur, la sainte force de vie qui me permettait de créer des mondes autour de moi [152] ; elle m'a fui. Quand de ma fenêtre je porte mes regards vers la colline lointaine et vois au-dessus d'elle le soleil du matin transpercer la brume et son éclat descendre sur les prairies paisibles, quand je vois le calme fleuve serpenter jusqu'à moi entre ses saules sans feuillage, oh! quand cette magnifique nature s'étend devant moi aussi glacée qu'une image sous son vernis, sans que toutes ces délices puissent faire monter de mon cœur à mon cerveau une seule goutte de félicité; quand tout mon être devant la face de Dieu reste semblable à une source tarie, à un seau d'où l'eau a fui, souvent alors je me suis jeté à terre et j'ai demandé à Dieu des larmes, comme un paysan la pluie, quand au-dessus de lui le ciel est d'airain [153] et qu'autour de lui la terre se consume de soif.

Mais hélas, je le sens, Dieu n'accorde à nos prières impétueuses ni pluie ni soleil, et ces temps dont le souvenir me torture, pourquoi furent-ils si heureux, sinon parce que j'attendais avec patience que son esprit soufflât et mon cœur tout entier recueillait ainsi avec une profonde reconnaissance la félicité qu'il répandait sur moi.

Le 8 novembre.

Elle m'a reproché mes excès! oh! si aimablement! Mes excès, parce qu'il arrive qu'un verre de vin m'amène à vider une bouteille [154]. « Ne le faites plus, dit-elle, pensez à Lotte. — Penser! répliquai-je, est-il besoin que vous me l'ordonniez? Je pense!... Je ne pense pas! Toujours vous êtes là, devant mon âme. Aujourd'hui je restai assis à la place où récemment vous êtes descendue de voiture. » Elle parla d'autre chose pour ne pas me laisser continuer sur ce chapitre. Mon bien cher, je suis perdu, elle fait de moi ce qu'elle veut.

Le 15 novembre.

Je te remercie, Wilhelm, de ta cordiale sympathie, de ton conseil bien intentionné, mais je te prie de rester en paix. Laisse-moi souffrir jusqu'au bout; malgré toute ma lassitude j'ai encore assez de force pour tenir bon. Je révère la religion, tu le sais, je sens qu'elle est pour

bien des êtres épuisés un soutien, pour bien des âmes
assoiffées un rafraîchissement. Pourtant peut-elle,
doit-elle l'être pour chacun ? Si tu considères le vaste
monde, tu vois des milliers d'hommes, pour lesquels
elle ne le sera pas, qu'elle leur ait été prêchée ou non,
et il faudrait qu'elle le fût pour moi ? Le fils de Dieu
lui-même ne dit-il pas que ceux-là l'entoureront, que
le Père lui aura donnés [155] ? Et si moi, je ne lui suis pas
donné ? Si le Père veut me conserver pour lui-même,
comme mon cœur me le dit [156] ? Je t'en prie, ne donne
pas de cela une interprétation fausse, ne va pas voir
quelque raillerie dans ces innocentes paroles ; c'est
mon âme tout entière que j'étale devant toi ; sinon
j'aimerais mieux avoir gardé le silence ; de même
que je préfère ne pas me perdre en paroles sur des
questions dont les autres sont aussi ignorants que
moi. Qu'est-ce donc que la destinée de l'homme, sinon
de souffrir sa condition humaine, de vider son calice
jusqu'à la lie ? Et si ce calice au Dieu du ciel parut
trop amer sur ses lèvres d'homme [157], pourquoi ferais-
je le vaillant, pourquoi feindrais-je de le trouver doux ?
Et pourquoi éprouverais-je un sentiment de honte à
l'instant effroyable où mon Moi tout entier tremble
entre l'être et le non-être, où le passé luit à mes yeux
comme un éclair au-dessus du sombre abîme de l'avenir
autour de moi, où tout s'engloutit, tandis qu'avec moi
le monde s'anéantit. Lorsque la créature doit se replier
sur elle-même, et sent qu'elle s'échappe à elle-même
et tombe d'une chute sans fin, a-t-elle une autre voix
que ce cri qui jaillit des intimes profondeurs de ses
forces épuisées par de vains efforts : « Mon Dieu!
Mon Dieu! Pourquoi m'as-tu abandonné [158] ? » Et
je devrais avoir honte de pousser ce cri à cet instant
d'angoisse où il s'échappa des lèvres de Celui qui roule
les cieux comme une tente [159] ?

Le 21 novembre.

Elle ne voit pas, elle ne sent pas qu'elle prépare un
poison qui causera ma perte et la sienne ; et moi, avec
délices et volupté, je vide à longs traits la coupe que
pour ma perte elle me tend. Que signifie donc le regard
plein de bonté que souvent — souvent? — non, pas
souvent mais pourtant quelquefois, elle porte sur
moi ? Sa complaisance à accueillir une expression

involontaire de mon sentiment? Sa pitié pour la souffrance qui se dessine sur son front?

Hier, comme je me retirais, elle me tendit la main
en disant : « *Adieu* [160], cher Werther! » Cher Werther! C'était la première fois qu'elle m'appelait « cher »
et ce mot me pénétra jusqu'à la moelle des os. Je me
le suis répété cent fois et hier soir, au moment de me
mettre au lit, tandis que je me contais toutes sortes
de choses, je m'écriai tout à coup : « Bonsoir, cher
Werther! » et je ne pus m'empêcher de rire de moi-
même.

Le 22 novembre [161].

Je ne puis adresser à Dieu cette prière : « Laisse-la-
moi » et pourtant je la considère souvent comme
mienne. Je ne puis lui dire : « Donne-la-moi », car elle
est la femme d'un autre. Ainsi je ne cesse de faire des
jeux d'esprit avec ma douleur; si je m'y abandonnais,
ce serait toute une litanie d'antithèses.

Le 24 novembre.

Elle ressent ce que j'endure. Aujourd'hui son regard
m'est allé au fond du cœur. Je la trouvai seule; elle ne
dit rien, elle me regarda. Et je ne vis plus en elle le
charme de la beauté, ni le rayonnement de l'intelligence, tout cela s'était évanoui devant mes yeux. Un
regard bien plus admirable agissait maintenant sur
moi, un regard qu'emplissait la sympathie la plus
profonde, la compassion la plus douce. Pourquoi
n'avais-je pas le droit de me jeter à ses pieds? de me
suspendre à son cou pour lui répondre par mille baisers? Son clavecin fut son refuge et d'une voix douce,
aussi légère qu'un souffle, elle joignit aux sons de l'ins-
trument un chant harmonieux. Jamais je n'avais vu
ses lèvres aussi ravissantes; elles semblaient s'ouvrir
de soif pour absorber en elles les douces sonorités qui
jaillissaient du clavecin et sa bouche pure n'en était
pour ainsi dire que l'écho secret. — Oui, comment
pourrais-je t'exprimer cela! — Je ne résistai pas plus
longtemps, je m'inclinai et me fis ce serment : « Jamais
je ne tenterai de poser un baiser sur vous, lèvres, sur
lesquelles planent les esprits du ciel. — Et pourtant...
Je veux... Ah! vois-tu, c'est comme un mur qui se
dresse devant moi... cette félicité — et puis la mort
pour expier ce péché... Un péché?

Le 26 novembre [162].

Il m'arrive de me dire : « Ton destin est unique ; les autres, tu peux les dire heureux... Nul encore n'a connu des tourments comme les tiens.» Puis je lis un poète des temps anciens et il me semble plonger mes regards dans mon propre cœur. J'ai tant à endurer! Ah! y eut-il donc avant moi des hommes aussi misérables que moi ?

Le 30 novembre.

Je ne dois pas, non, je ne dois pas me ressaisir! Où que j'aille, quelque phénomène m'apparaît, qui me bouleverse de fond au comble. Aujourd'hui! ô destinée! ô humanité!

A l'heure de midi, n'ayant aucun désir de prendre un repas, je me promène au bord de l'eau. Tout était désert, un vent d'ouest humide et froid soufflait de la montagne et les nuages gris de la pluie s'engouffraient dans la vallée. De loin j'aperçois un homme vêtu d'un méchant habit vert qui rôdait à quatre pattes parmi les rochers et semblait chercher des herbes. Je m'approchai; au bruit de mes pas il se retourna et je vis une physionomie fort intéressante, qui avait pour trait principal une morne tristesse, mais à part cela n'exprimait que droiture et bonté ; de ses cheveux noirs les uns étaient relevés en deux rouleaux à l'aide d'épingles, les autres étaient nattés en une forte tresse qui lui descendait dans le dos. Comme sa mise me paraissait annoncer un homme de condition modeste, j'estimai qu'il ne le prendrait pas mal si je prêtais attention à son travail et je lui demandai donc ce qu'il cherchait. « Je cherche des fleurs, répondit-il avec un profond soupir, et je n'en trouve aucune. — Ce n'est pas non plus la saison, lui fis-je en souriant. — Il y a tant de fleurs, dit-il en descendant vers moi. Dans mon jardin il y a des roses et deux espèces de chèvrefeuille ; l'une d'elles m'a été donnée par mon père ; elles poussent comme la mauvaise herbe ; voilà deux jours que j'en cherche et je n'en trouve pas. Ici, en plein air il y en a toujours aussi, des jaunes et des bleues et des rouges et la centaurée en a de jolies. Je n'en puis trouver aucune. » Remarquant qu'il n'était pas dans un état normal, je pris un biais et lui demandai : « Que voulez-vous donc faire de ces fleurs ? » Un étrange sourire convulsif crispa son visage. « Si vous n'avez pas l'intention de me trahir, dit-il en

mettant un doigt sur sa bouche, j'ai promis un bouquet
à ma bien-aimée. — Voilà qui est gentil, dis-je. —
Oh! reprit-il, elle possède bien d'autres choses, elle est
riche. — Et pourtant elle aimera votre bouquet, répliquai-je. — Oh! continua-t-il, elle a des bijoux et une
couronne. — Comment donc s'appelle-t-elle? — Si
les États généraux [163] voulaient me payer, répondit-il,
je serais un autre homme! Oui, il y eut un temps où je
me sentais si bien! Maintenant, c'en est fait de moi. A
présent je suis... » Un regard humide levé vers le ciel
exprima tout. « Vous étiez donc heureux? demandai-je.
— Ah! je voudrais redevenir celui que j'étais alors,
répondit-il. Alors je me sentais aussi bien, aussi joyeux,
aussi léger qu'un poisson dans l'eau. » « Henri, cria une
vieille femme qui s'en venait par le chemin, où t'es-tu
fourré? Nous t'avons cherché partout, viens manger. —
Est-ce votre fils, demandai-je en m'approchant d'elle. —
Eh oui, mon pauvre fils, répliqua-t-elle. Dieu m'a
imposé une lourde croix. — Depuis combien de temps
est-il ainsi? demandai-je. — Calme comme cela, dit-elle,
cela fait six mois. Dieu soit loué que nous en soyons
arrivés là ; auparavant il fut pendant une année entière
fou furieux, enchaîné dans un asile d'aliénés. Maintenant
il ne fait de mal à personne, seulement il est toujours
occupé de rois et d'empereurs. C'était un homme si bon,
si paisible, qui m'aidait à vivre, car il avait une belle
écriture, et tout à coup il devient mélancolique, est pris
d'une fièvre ardente, puis de folie furieuse et à présent il
est tel que vous le voyez. Si je devais vous raconter,
monsieur... » J'interrompis ce flux de paroles par cette
question : « Quelle était donc cette époque, où il se
vante d'avoir été si heureux, où il se sentait si bien? —
Le pauvre insensé, s'écria-t-elle avec un sourire de
compassion, il veut parler du temps où il se trouvait à
l'asile d'aliénés, où il ne savait plus rien de lui-même. »
Ces mots s'abattirent sur moi comme un coup de tonnerre, je lui glissai une pièce d'argent dans la main et je
la quittai en hâte.

   Le temps où tu étais heureux! m'écriai-je en allant à
pas rapides vers la ville, où tu te sentais aussi bien qu'un
poisson dans l'eau... Dieu du ciel! est-ce cela que tu
assignes aux hommes comme destinée : n'être heureux
qu'avant de posséder la raison et après l'avoir perdue!
Infortuné! et pourtant que j'envie ta sombre mélancolie,
le désordre des sens dans lequel tu te consumes! Tu

sors, plein d'espoir, pour cueillir des fleurs à ta reine —
en hiver — et tu t'affliges de n'en point trouver, et tu ne
comprends pas pourquoi tu n'en peux point trouver. Et
moi... Je sors sans espoir, sans but et je rentre chez moi
tel que j'en suis sorti. L'illusion te montre quel homme
tu serais, si les États généraux te payaient. Bienheureuse
créature! qui peut attribuer son manque de bonheur à
un empêchement terrestre. Tu ne sens pas, tu ne sens
pas que ta misère réside dans ton cœur brisé, dans ton
cerveau ruiné et que tous les rois de la terre ne peuvent
te venir en aide.

Qu'il périsse sans consolation, quiconque raille un
malade en route vers la source la plus lointaine, qui
aggravera sa maladie et rendra sa mort plus douloureuse, ou encore quiconque se croit supérieur au cœur
opprimé qui pour se libérer de ses remords et soulager
son âme de ses souffrances fait un pèlerinage en Terre
sainte! Chaque pas qui déchire la plante de ses pieds sur
un chemin non frayé est une goutte de baume pour son
âme angoissée et après chaque journée de voyage qu'il
endure il s'étend le cœur allégé de bien des afflictions.
Et pouvez-vous appeler cela folie, vous, phraseurs
allongés sur vos coussins? — Folie! — Oh! Dieu! tu
vois mes larmes. Fallait-il donc qu'après avoir créé
l'homme si pauvre, tu lui donnasses des frères pour lui
ravir encore son peu de pauvreté, le peu de confiance
qu'il a en toi, en toi, qui es tout amour! Car la confiance
dans les vertus curatives d'une racine, dans les larmes
du cep de vigne, n'est-elle pas confiance en toi, certitude que dans tout ce qui nous entoure tu as mis les
forces de guérison et de soulagement dont nous avons
besoin à toute heure? Père, que je ne connais pas, Père,
qui jadis emplissais toute mon âme et maintenant as
détourné de moi Ta face! Rappelle-moi à Toi! Ne reste
pas plus longtemps silencieux! Ton silence ne retiendra
pas plus longtemps mon âme assoiffée. Un homme, un
père pourrait-il s'emporter, si son fils revenu à l'im-
proviste lui sautait au cou en criant : « Père, me voici de
retour! Ne m'en veux pas d'avoir interrompu le voyage
que pour t'obéir j'aurais dû prolonger encore. Le monde
est partout le même : peine et travail, puis salaire et
joie ; mais que m'importe tout cela? Je ne me sens bien
que là où tu es ; c'est en face de Toi que je veux souffrir
ou savourer le bonheur. — Et Toi, Père bien-aimé, Père
céleste, tu devrais le repousser loin de Toi? »

Le 1er décembre.

Wilhelm! L'homme dont je t'ai parlé dans ma lettre, cet heureux infortuné, était secrétaire chez le père de Lotte et sa passion pour elle, passion qu'il nourrissait, dissimulait, puis manifesta et qui le fit congédier, l'a rendu fou furieux. A ces sèches paroles tu sentiras de quel égarement je fus frappé par cette histoire, lorsque Albert me l'a contée, aussi tranquillement que tu la lis peut-être.

Le 4 décembre.

Je te prie... Vois-tu, c'en est fait de moi, je ne le supporterai pas plus longtemps! Aujourd'hui j'étais assis près d'elle, j'étais là, elle jouait sur son clavecin diverses mélodies et avec quelle expression! Quelle expression! Sa petite sœur habillait sa poupée sur mes genoux. Les larmes me vinrent aux yeux. Je me penchai et son anneau de mariage frappa mes regards, mes larmes coulèrent. Et soudain elle attaqua l'ancienne mélodie à la douceur céleste [164] et tout soudainement passa dans mon âme un sentiment de consolation avec le souvenir du passé, des jours où j'avais entendu ce chant, du chagrin qui entre-temps assombrit mon âme, des espérances déçues et alors — j'allais et venais dans la chambre, mon cœur étouffait sous cet afflux : « Pour l'amour de Dieu, dis-je dans un accès de violence qui me précipita vers elle, pour l'amour de Dieu, cessez! » Elle s'arrêta et me regarda fixement. « Werther, dit-elle avec un sourire qui me traversa l'âme, Werther, vous êtes bien malade, vos mets favoris vous répugnent. Allez! Je vous en prie, calmez-vous. » Je m'arrachai de sa présence et Dieu, tu vois ma détresse et tu y mettras un terme.

Le 6 décembre.

Comme son image me poursuit! Que je veille ou que je rêve, elle emplit mon âme tout entière. Ici, quand je ferme les yeux, ici, sous mon front, où se concentre toute la puissance de la vision intérieure, ici je retrouve ses yeux noirs. Ici! je ne peux pas te l'exprimer. Si je viens à fermer les yeux, ils sont là ; comme une mer, comme un abîme, ils reposent devant moi, en moi et mes sens et mon front sont emplis de ses yeux.

Qu'est-ce que l'homme proclamé demi-Dieu! Les

formes ne lui font-elles pas défaut, quand il en aurait le plus besoin ? Que ce soit dans les élans de la joie ou dans les abaissements de la souffrance, n'est-il pas toujours arrêté, n'est-il pas ramené à la sinistre et froide conscience de lui-même et cela précisément alors qu'il aspirait à se perdre dans la plénitude de l'infini [165] ?

L'ÉDITEUR AU LECTEUR [166]

Combien je souhaiterais que sur les derniers jours, si singuliers, de notre ami, il nous restât, écrits de sa propre main, assez de témoignages pour m'éviter d'interrompre par un récit la suite des lettres qu'il nous a laissées !

J'ai eu à cœur de recueillir des informations précises auprès de ceux qui étaient bien au courant de son histoire ; elle est simple et toutes les relations qu'on en a pu faire concordent, sauf sur quelques points de détail : les opinions ne diffèrent et les avis ne sont partagés que sur l'état d'esprit des personnages du drame.

Que nous reste-t-il à faire, sinon à raconter en toute conscience ce qu'à grand-peine nous avons pu apprendre çà et là, à insérer dans notre récit les lettres laissées par celui qui nous a quittés, sans faire fi du moindre billet qu'on ait pu retrouver ; d'autant plus qu'il est si difficile de découvrir les véritables ressorts, les plus personnels, d'un seul acte isolé, lorsqu'il provient d'hommes qui ne sont pas des êtres ordinaires.

Déplaisir et dépit avaient jeté dans l'âme de Werther des racines de plus en plus profondes, qui s'étaient enlacées et emmêlées avec une force croissante et peu à peu avaient pris possession de tout son être. L'harmonie de son esprit était entièrement détruite, une ardeur et une violence intérieures qui brassaient et mêlaient toutes les forces de sa nature, produisaient les effets les plus opposés et ne lui laissaient finalement derrière elles qu'un épuisement dont il s'efforçait de se relever avec une anxiété encore plus grande qu'il n'en avait eu à combattre ses maux. L'angoisse qui pesait sur son cœur consumait les dernières forces de son esprit, sa vivacité, sa pénétration ; il devint en société un triste compagnon, de plus en plus malheureux et de plus en plus injuste, à mesure que son malheur croissait. C'est du moins ce que disent les amis d'Albert ; ils affirment qu'en face d'un homme sain et paisible qui, ayant enfin en partage un bonheur longtemps désiré [167], conduisait sa vie de manière à le conserver pour l'avenir, Werther n'avait pas su le comprendre, lui qui pour ainsi dire consommait chaque jour tout son avoir, au risque de connaître, le soir, souffrances et privations. Albert, disent-ils, n'était pas devenu en si peu de temps un autre homme, il restait toujours le même, il était encore celui que Werther avait connu dès le début, pour lequel il avait tant d'estime et de respect. Il aimait Lotte par-dessus tout, il était fier d'elle et souhaitait la voir reconnue par tous comme la plus admirable des créatures. Fallait-il donc le blâmer, s'il désirait écarter d'elle jusqu'à la moindre apparence de soupçon, si en un tel instant de sa vie il n'était aucunement disposé à partager avec quiconque, fût-ce de la plus innocente manière, un bien si précieux ? Ils conviennent qu'il lui arriva souvent de quitter la chambre de sa femme, quand Werther était auprès d'elle, non point par haine ou par inimitié, mais parce qu'il avait senti que son ami se sentait mal à l'aise en sa présence...

Pris d'un malaise qui le retenait à la chambre, le père de Lotte lui envoya sa voiture pour qu'elle se rendît auprès de lui. C'était une belle journée d'hiver ; la première neige, qui était tombée en abondance, recouvrait toute la contrée.

Werther la rejoignit le lendemain matin afin de la reconduire chez elle, au cas où Albert ne viendrait pas la chercher.

Malgré sa clarté, le temps ne pouvait guère agir sur son âme sombre, sur laquelle pesait un morne accablement ; des images de tristesse s'étaient gravées en lui et son esprit ne faisait que passer d'une pensée douloureuse à une autre.

De même que dans sa propre vie il ne cessait d'être mécontent de lui-même, de même la situation des autres ne lui en paraissait également que plus inquiétante et plus confuse ; il croyait avoir troublé les rapports harmonieux d'Albert et de sa femme, il se faisait à ce sujet des reproches, dans lesquels s'insinuait aussi un secret ressentiment contre le mari.

En chemin ses pensées tombèrent également sur cet objet : « Oui, oui, se disait-il et il grinçait des dents en secret, voilà donc ces relations confiantes, affectueuses, tendres, où l'on se donne à tout, voilà donc la constante et inébranlable fidélité! Ce n'est que satiété et indifférence! L'affaire la plus mesquine n'a-t-elle pas pour lui plus d'attraits que cette femme si chère et précieuse? Connaît-il tout le prix de son bonheur? Est-il capable de l'estimer autant qu'elle le mérite? Elle est à lui, soit, elle est à lui. Je le sais, mais je sais autre chose également; je crois m'être fait à cette idée, mais elle finira par me rendre fou, elle finira par me détruire. Et son amitié pour moi a-t-elle donc tenu bon? Ne voit-il pas déjà dans mon attachement à Lotte une atteinte à ses droits, dans mes attentions pour elle un reproche muet? Je le sais bien, je le sens, il ne me voit qu'à contrecœur, il souhaite que je m'éloigne, ma présence lui pèse.

Souvent il ralentissait sa marche rapide, souvent il s'arrêtait et semblait vouloir faire demi-tour ; mais chaque fois il reprenait sa marche en avant, toujours en proie à ses pensées et à ses monologues, si bien qu'il arriva enfin, pour ainsi dire contre sa volonté, au pavillon de chasse.

Il franchit le seuil, s'enquit du vieillard et de Lotte ; il trouva la maisonnée en émoi [168]. L'aîné des garçons lui dit qu'il venait d'arriver un malheur à Wahlheim, où un paysan avait été assommé. Cette nouvelle ne lui fit aucune impression. Il entra dans la salle, où il trouva Lotte occupée à dissuader le vieillard de se rendre sur le lieu du crime malgré sa maladie pour procéder à l'enquête. Le coupable n'était pas encore connu, car on avait trouvé le corps de la victime le matin même, devant la porte de la maison et il y avait des présomptions : la victime était employée comme valet chez une veuve, qui en avait eu un autre auparavant, et ce dernier n'avait pas quitté la maison de bon gré.

A ces paroles Werther sursauta violemment. « Est-ce possible! » s'écria-t-il, il me faut y aller, je ne peux tarder un seul instant. » Il se hâta vers Wahlheim ; tous ses souvenirs reprenaient vie et il ne douta pas un instant que le meurtre n'eût été commis par cet homme avec qui il s'était souvent entretenu et qui lui était devenu si cher.

Pour arriver à l'auberge où l'on avait déposé le corps il dut passer sous les tilleuls et il fut saisi d'horreur à la vue de ce lieu qu'il avait tant aimé. Le seuil, où si souvent les enfants du voisinage avaient joué, était souillé de sang. Amour et fidélité, les plus beaux des sentiments humains, s'étaient transformés en violence et meurtre. Les arbres vigoureux se dressaient sans feuillage, blanchis par les frimas ; les beaux arceaux de verdure, dont la voûte dépassait le mur bas du cimetière, avaient perdu leurs feuilles et laissaient voir les pierres tombales recouvertes de neige.

Alors qu'il approchait de l'auberge, devant laquelle tout le village était rassemblé, soudain une clameur éclata. On apercevait au loin une troupe de gens armés et chacun de s'écrier qu'on amenait le meurtrier. Werther regarda de ce côté et ne resta pas longtemps dans le doute. Oui, c'était bien le valet qui aimait tant la veuve, celui qu'il avait rencontré peu de temps auparavant, errant à l'aventure, en proie à une sourde colère, à un secret désespoir.

« Qu'as-tu fait, malheureux! » s'écria Werther, en s'avançant vers le prisonnier. Celui-ci le regarda avec calme, en silence, puis répliqua enfin d'un ton tout à fait paisible : « Elle ne sera à aucun homme, aucun homme ne sera à elle. » On l'emmena à l'auberge et Werther s'éloigna en hâte.

Cette émotion violente et épouvantable avait bouleversé tout son être. Pour un instant il fut arraché à sa détresse, à son découragement, à son apathie résignée ; une irrésistible compassion s'empara de lui, un indicible désir de sauver cet homme le saisit. Il le sentait si malheureux, il voyait en lui un meurtrier si innocent, il entrait si profondément dans sa situation qu'il se croyait sûr de faire partager sa conviction à d'autres. Déjà il brûlait de parler en sa faveur, déjà se pressait sur ses lèvres le plaidoyer le plus chaleureux ; il courut vers le pavillon de chasse et en chemin il ne pouvait se retenir de prononcer déjà à mi-voix le discours qu'il allait tenir au bailli.

A son entrée dans la salle il aperçut Albert, dont la présence le déconcerta un instant ; mais bien vite il se ressaisit et avec feu il exposa au bailli son opinion. Celui-ci secoua la tête à plusieurs reprises et bien que Werther eût avancé avec le maximum de vivacité, de passion et de sincérité tout ce qu'un homme peut dire pour excuser un autre homme, le bailli, comme on peut l'imaginer sans peine, n'en fut aucunement ébranlé. Il ne laissa même pas notre ami parler jusqu'au bout, il le contredit vivement et le blâma d'oser prendre sous sa protection un assassin ; il lui exposa qu'agir ainsi aurait pour effet l'abolition de toute loi, l'anéantissement de toute sécurité dans l'État ; il ajouta encore que dans une telle affaire il ne pouvait rien risquer sans se charger de la plus grande responsabilité, que tout devait suivre son cours normal, le cours prescrit.

Werther ne se tint pas encore pour battu, mais il se borna alors à supplier le bailli de fermer les yeux, si l'on aidait l'homme à prendre la fuite! Cela aussi le bailli le lui refusa. Albert, qui finit par se mêler à la discussion, se rangea du côté du vieillard. Werther fut contraint de céder et, navré de douleur, il s'en alla après avoir entendu le bailli lui répéter plusieurs fois : « Non, rien ne peut le sauver. »

A quel point ces paroles ont dû le frapper, nous le voyons par le court billet qui se trouva parmi ses papiers et avait certainement été écrit le même jour :

« Rien ne peut te sauver, malheureux! Je vois bien que rien ne peut nous sauver. »

Ce qu'Albert avait dit en dernier lieu sur l'affaire du prisonnier en présence du bailli, avait au plus haut point mortifié Werther ; il croyait y avoir remarqué quelque ressentiment à son égard et quoique, à y mieux réfléchir, il n'échappât point à sa sagacité que les deux hommes pouvaient bien avoir raison, il lui semblait pourtant que, s'il devait l'avouer, s'il devait l'admettre, il se trouverait dans l'obligation de renoncer à ce qu'il portait au plus intime de son être.

Parmi ses papiers nous trouvons à ce sujet un feuillet qui exprime peut-être tout son comportement vis-à-vis d'Albert :

« A quoi sert de me dire et de me redire qu'il est honnête et bon, car je suis déchiré jusqu'au fond des entrailles ; je ne puis pas être juste à son égard. »

La soirée était douce et le temps déjà inclinait au dégel ; aussi Lotte revint-elle à pied avec Albert. En chemin elle regardait parfois çà et là, comme si la compagnie de Werther lui eût fait défaut. Albert se mit à parler de lui ; il le blâmait, tout en lui rendant justice. Il en vint à sa malheureuse passion et il exprima son désir qu'il fût possible de l'éloigner. « Je le souhaite aussi pour nous », dit-il et il continua ainsi : « Veille, je t'en prie, à ce qu'il change d'attitude à ton égard et réduise le nombre de ses visites : elles attirent l'attention du monde et je sais que çà et là déjà on a jasé. » Lotte ne dit mot et Albert parut avoir compris son silence ; du moins cessa-t-il de mentionner Werther dans leurs entretiens et lorsqu'elle le faisait, il laissait tomber la conversation ou en détournait le cours.

La vaine tentative de Werther pour sauver le malheureux fut le dernier soubresaut lumineux d'un flambeau qui s'éteint ; il n'en sombra que plus profondément dans la douleur et l'inertie ; en particulier il fut presque hors de lui quand il entendit dire qu'on le citerait peut-être comme témoin contre cet homme, qui maintenant avait pris le parti de nier.

Tous les désagréments qu'il avait rencontrés au cours de sa vie active, ses ennuis à l'ambassade, tous ses autres échecs, tout ce qui avait pu un jour le blesser, tout s'agitait maintenant dans son âme. Tout cela lui paraissait justifier son inactivité ; il s'estimait coupé de toute perspective d'avenir, incapable de trouver un moyen d'avoir prise sur les occupations de la vie courante. Ainsi, entièrement abandonné à ses étranges sensations et pensées et à une passion sans fin, plongé dans l'éternelle uniformité d'un triste commerce avec l'être adorable et adoré dont il troublait la paix, jetant ses forces avec fougue pour les user sans but et sans espoir, il allait vers une triste fin de plus en plus proche.

Sa confusion intérieure, sa passion, son agitation et son exaltation incessantes, son dégoût de la vie, apparaissent dans quelques lettres qu'il a laissées, témoignages éloquents que nous voulons insérer ici.

Le 12 décembre.

Cher Wilhelm, je suis dans l'état où durent se trouver ces malheureux, dont on croyait qu'ils étaient les jouets d'un esprit malin. Parfois quelque chose me saisit : ce n'est pas l'angoisse, ni le désir — c'est en moi un déchaînement inconnu, qui menace de me déchirer la poitrine, qui me serre à la gorge. Malheur ! Malheur ! Et alors je rôde à l'aventure parmi les terribles scènes nocturnes de cette saison qui est l'ennemie des hommes.

Hier soir, il me fallut sortir, partir. Le dégel était survenu tout à coup, j'avais entendu dire que le fleuve était sorti de son lit, que tous les ruisseaux s'étaient gonflés et qu'en aval de Wahlheim ma chère vallée était submergée. La nuit, après onze heures, j'y courus.

Quel spectacle terrifiant! Voir à la clarté de la lune les flots fouilleurs descendre en tourbillonnant des rochers, s'abattre sur les champs et les prés et les haies, et sur toute la nature ; en amont comme en aval la vaste vallée n'est plus qu'une mer déchaînée dans les sifflements du vent! Et quand ensuite la lune réapparut au-dessus des sombres nuages et me permit de voir sous les reflets sinistres et splendides les flots qui roulaient et grondaient à mes pieds, alors un frisson me saisit, puis un désir éperdu. Ah! les bras ouverts, je me dressais face à l'abîme, j'aspirais à m'y jeter, à m'y plonger, je me perdais dans la volupté d'y précipiter mes tourments, mes souffrances, d'y rouler en grondant, comme les vagues. Oh! et tu ne fus pas capable de détacher ton pied du sol, de mettre fin à tous les tourments! Mon temps ne s'est pas encore écoulé, je le sens! Oh! Wilhelm, avec quelle joie j'aurais donné mon existence d'homme pour déchirer les nuées avec l'ouragan, pour saisir les flots de mes mains. Ah! cette félicité ne sera-t-elle pas un jour donnée en partage à celui qui languit encore dans son cachot?

Et avec quelle mélancolie mes regards s'abaissèrent vers le lieu où avec Lotte je m'étais reposé sous un saule, au cours d'une promenade d'été! — Lui aussi était submergé et c'est à peine si je distinguais le saule. Wilhelm! Et ses prairies! pensais-je, la campagne qui entoure son pavillon de chasse! Comme notre tonnelle doit être ravagée par le flot furieux! pensais-je. Et dans tout cela le passé brillait comme un soleil rayonnant et j'étais semblable au prisonnier qui rêve de troupeaux, de prairies et de fonctions honorifiques. Je restais là! — Je ne me gronde point, car j'ai le courage de mourir. — J'aurais... Et maintenant je suis assis là telle une vieille femme qui glane son bois sur les haies et mendie son pain de porte en porte afin de prolonger encore un instant et d'alléger une vie sans joie qui se meurt.

14 décembre.

Qu'est-ce là, mon cher? J'ai peur de moi-même! Mon amour pour elle n'est-il pas l'amour le plus saint, le plus pur, le plus fraternel? Ai-je jamais éprouvé dans mon âme un désir coupable? — Je ne veux pas jurer. — Et maintenant, ô rêves! Oh! qu'ils avaient raison, les hommes qui attribuaient des effets si contra-

dictoires à des puissances étrangères! Cette nuit! Je
tremble à le dire, je la tenais dans mes bras, je la serrais
sur mon cœur et je couvrais de baisers sans fin ses
lèvres balbutiantes d'amour; mes regards voguaient
dans l'ivresse des siens! Dieu! suis-je coupable, si
maintenant encore j'éprouve un tel bonheur à évoquer
au plus profond de moi-même ces joies ardentes?
Lotte! Lotte! — Et c'en est fait de moi! Mes sens
s'égarent, depuis huit jours déjà je n'ai plus la force
de penser, mes yeux sont pleins de larmes. Nulle part
je ne me sens bien et je suis bien partout. Je ne souhaite rien. Je ne désire rien. Pour moi il vaudrait mieux
partir.

A cette époque et dans de telles circonstances la
résolution de quitter le monde n'avait pas cessé de
gagner en force dans l'âme de Werther. Depuis qu'il
était revenu auprès de Lotte ce fut toujours sa dernière
perspective, son dernier espoir, mais il s'était dit que
cela ne devait pas être un acte soudain et précipité;
ce dernier pas, il entendait le faire avec la plus entière
conviction, avec une résolution aussi calme que possible.

Ses doutes, ses luttes contre lui-même transpercent
dans un billet, qui semble bien constituer le début d'une
lettre à Wilhelm et qui fut retrouvé sans date parmi
ses papiers.

« Sa présence, sa destinée, la part qu'elle prend à la
mienne arrachent encore à mon cerveau calciné les
dernières larmes.

« Lever le rideau et passer derrière! C'est tout! Et
pourquoi tergiverser et tarder? Parce qu'on ne sait
pas ce qu'on trouvera derrière? et qu'on ne revient pas?
Et que c'est le propre de notre esprit de n'imaginer
que confusion et ténèbres là où nous ne pouvons rien
mettre de précis [169]? »

Finalement la triste pensée lui devint de plus en
plus familière et amicale, son projet ferme et irrévo-
cable, ainsi qu'en témoigne cette lettre ambiguë, qu'il
écrivit à son ami [176].

Le 20 décembre.

Je rends grâces à ton amitié, Wilhelm, d'avoir si bien

saisi ce que je voulais dire. Oui, tu as raison : pour moi il vaudrait mieux partir. La proposition que tu m'adresses de revenir auprès de vous ne me plaît pas entièrement; du moins j'aimerais bien faire encore un détour, d'autant plus que nous pouvons espérer avoir un froid durable et de bonnes routes. Ton intention de venir me chercher m'est également très douce, accorde-moi seulement une quinzaine de jours encore et attends une nouvelle lettre de moi avec d'autres détails. Il ne faut rien cueillir qui ne soit mûr et quinze jours de plus ou de moins font beaucoup. Dis à ma mère qu'elle doit prier pour son fils et que je lui demande pardon pour tous les ennuis que je lui ai causés. C'était bien mon destin d'affliger ceux à qui j'aurais dû donner de la joie. Adieu, mon très cher! Que le ciel répande sur toi toutes ses bénédictions! Adieu! »

Ce qui se passait à cette époque dans l'âme de Lotte, ce qu'elle éprouvait pour son mari, pour son malheureux ami, nous osons à peine l'exprimer par des mots, bien que, connaissant son caractère, nous puissions en nous-mêmes nous en faire une idée, bien qu'une belle âme de femme puisse se retrouver dans la sienne et sentir avec elle [171].

Il est au moins certain qu'il y avait en elle la ferme résolution de tout faire pour éloigner Werther et, si elle tardait, c'est que son cœur et son amitié l'amenaient à le ménager, car elle savait à quel point ce serait pour lui chose difficile et même presque impossible. Mais le temps la pressait d'agir pour de bon; son mari ne disait mot de ces relations, de même qu'elle avait toujours gardé le silence à leur sujet; il lui importait donc d'autant plus de lui prouver par des actes combien ses propres sentiments étaient dignes des siens.

Le jour même où Werther écrivit à son ami la lettre que nous venons de rapporter — c'était le dimanche avant Noël — il vint chez Lotte dans la soirée et la trouva seule. Elle était occupée à mettre en ordre quelques jouets qu'elle destinait comme cadeaux de Noël à ses frères et sœurs. Il parla du plaisir qu'auraient les petits et du temps où, la porte soudainement ouverte, l'apparition d'un arbre paré et garni de bougies, de friandises et de pommes vous jetait dans une extase paradisiaque. « Vous aussi, dit Lotte, en dissimulant son embarras sous un aimable sourire,

vous aurez votre cadeau, si vous êtes bien sage : une
petite bougie et quelque chose avec. — Et qu'appelez-
vous : être bien sage? s'écria-t-il, comment dois-je
être, comment puis-je être, très chère Lotte? — Jeudi
soir, dit-elle, c'est le soir de Noël [172]; alors les enfants
viennent, mon père aussi, et chacun reçoit sa part;
alors vous viendrez également... mais pas avant. »
Werther resta ébahi. — « Je vous le demande, poursuivit-elle, il en est ainsi. Je vous le demande pour mon
repos, cela ne peut pas continuer, cela ne se peut pas. »
Il détourna d'elle ses regards, se mit à arpenter la
pièce, murmurant entre les dents : « Cela ne peut pas
continuer. » — Lotte, qui sentait dans quel état terrible ses paroles avaient jeté Werther, essaya par mille
questions de modifier le cours de ses pensées, mais ce
fut en vain. « Non, Lotte, s'écria-t-il, je ne vous reverrai pas. — Pourquoi donc? répliqua-t-elle. Werther,
vous pouvez, vous devez nous revoir, il suffit de vous
modérer. Oh! pourquoi vous fallut-il naître avec cette
violence, cette passion indomptable et tenace pour
tout ce qu'il vous arrive de saisir. Je vous en prie,
continua-t-elle, en lui prenant la main, modérez-vous!
Votre esprit, votre savoir, vos talents vous offrent tant
de joies diverses! Soyez un homme et détournez ce
triste attachement d'une créature qui ne peut rien que
vous plaindre. » Il grinçait des dents, le regard sombre.
Elle lui tendit la main. « Calmez vos esprits, ne serait-ce
qu'un instant, Werther, dit-elle; ne sentez-vous pas
que vous vous trompez, que vous êtes vous-même
l'artisan de votre perte? Pourquoi donc moi, Werther,
moi, qui appartiens à un autre? Pourquoi précisément
moi? Je le crains, je le crains, c'est uniquement l'im-
possibilité de me posséder qui rend votre désir si
ardent. » Il retira sa main de la sienne en la regardant
d'un œil fixe et irrité. « Quelle sagesse! s'écria-t-il,
quelle profonde sagesse! Ne serait-ce pas Albert qui
fit cette remarque? Une politique habile! très habile! —
— Tout le monde peut la faire, répliqua-t-elle. N'y
aurait-il donc dans le vaste monde aucune jeune fille
qui puisse combler les vœux de votre cœur? Prenez
sur vous de la chercher et je vous jure que vous la
trouverez; car depuis longtemps je m'inquiète, pour
vous et pour nous, de voir l'isolement dans lequel vous
vous êtes confiné ces derniers temps. Prenez sur vous
de faire un voyage qui vous distraira, qui ne peut que

vous distraire de vos pensées. Cherchez et trouvez
un objet digne de votre amour, puis revenez afin que
nous savourions ensemble la félicité d'une amitié
véritable. »

« Cela pourrait s'imprimer, déclara-t-il avec un rire
froid, et se recommander à tous les précepteurs. Chère
Lotte! laissez-moi encore un petit peu de répit et tout
ira bien! — N'oubliez pas, Werther, que vous ne devez
pas revenir avant la soirée de Noël! » Il allait répondre,
quand Albert entra dans la pièce. Ils se souhaitèrent
le bonsoir d'un ton glacial et avec embarras ils arpen-
tèrent la chambre l'un à côté de l'autre. Werther commença un discours insignifiant, qui s'arrêta bientôt ;
Albert se tut pareillement, puis il questionna sa femme
sur diverses affaires dont il l'avait chargée et, apprenant
qu'elle ne s'en était pas encore acquittée, il lui adressa
quelques paroles que Werther trouva froides et même
dures. Il voulait partir, il ne le pouvait pas et il tarda
jusqu'à huit heures, sa mauvaise humeur et sa mauvaise
volonté ne faisant que croître, jusqu'au moment où
l'on mit la table ; alors il prit son chapeau et sa canne.
Albert le pria de rester, mais, lui, qui crut n'entendre
dans cette invitation qu'un compliment banal, remercia
froidement et s'en alla.

Il revint chez lui, prit la lumière des mains de son
domestique, qui voulait l'éclairer, et entra seul dans
sa chambre : il sanglotait, il se parlait à lui-même d'un
ton surexcité, arpentait la pièce avec violence et il
finit par se jeter, tout habillé, sur son lit, où son serviteur le trouva, lorsqu'il osa entrer vers onze heures
pour lui demander s'il devait lui retirer ses bottes ;
Werther le lui permit, mais en lui interdisant de pénétrer dans sa chambre le lendemain matin avant qu'il
l'appelât.

Le lundi matin, vingt et un décembre [173], il écrivit
la lettre suivante, que l'on trouva, cachetée, sur sa
table de travail après sa mort et que l'on remit à Lotte.
J'en intercale ici des fragments dans l'ordre où,
d'après les circonstances, il semble les avoir écrits.

« C'est chose résolue, Lotte, je veux mourir et je te
l'écris sans exaltation romantique, avec calme, au
matin du jour où je vais te voir pour la dernière fois.
Quand tu liras ceci, ma très chère, la froide tombe
recouvrira déjà les restes raidis de l'être inquiet, de

l'infortuné qui pour les derniers instants de sa vie ne connaît pas de douceur plus grande qu'un entretien avec toi. J'ai passé une nuit affreuse et hélas! une nuit bienfaisante. C'est elle qui a consolidé ma résolution, qui l'a affermie : je veux mourir! Hier quand je m'arrachai de ta présence dans la terrible révolte de mes sens, alors que tout se pressait dans mon cœur et que l'idée d'une existence sans espoir et sans joies à tes côtés me saisissait et me glaçait d'horreur, j'eus peine à revenir jusqu'à ma chambre; hors de moi-même je tombai à genoux et, ô Dieu! tu m'accordas le rafraîchissement suprême des larmes les plus amères! Mille projets, mille perspectives agitaient toute mon âme et finalement se dressa là, inébranlable dans sa totalité, cette dernière et unique pensée : je veux mourir! — Je me mis au lit et ce matin, dans le calme du réveil, elle est encore inébranlable, encore toute-puissante dans mon cœur : je veux mourir! — Ce n'est pas du désespoir, c'est la certitude d'être parvenu au terme et de me sacrifier pour toi. Oui, Lotte! pourquoi devrais-je le taire? L'un de nous trois doit disparaître et je veux être celui-là! Ô ma très chère! dans mon cœur déchiré s'est souvent insinué comme une rôdeuse la pensée furieuse... de tuer ton mari!... toi!... moi! — Qu'il en soit donc ainsi! — Quand tu graviras la colline par un beau soir d'été, souviens-toi de moi, qui si souvent remontais la vallée, et alors abaisse tes regards vers le cimetière, vers ma tombe, tandis que le vent bercera et balancera l'herbe haute dans les rayons du soleil couchant. — J'étais calme, quand je commençais cette lettre, et maintenant je pleure comme un enfant, car tout cela devient vivant autour de moi. »

Vers dix heures, Werther appela son domestique et pendant qu'il s'habillait il lui dit que dans quelques jours il partirait en voyage; il lui demandait donc de nettoyer ses habits et de tout préparer pour faire ses malles; en outre il lui donna l'ordre de réclamer chez tous les commerçants les comptes à régler, d'aller chercher quelques livres qu'il avait prêtés et de verser à des pauvres, auxquels il avait coutume de donner chaque semaine un peu d'argent, deux mois d'avance.

Il se fit apporter son repas dans sa chambre et monta ensuite à cheval pour se rendre chez le bailli, qu'il ne trouva pas. Il se promena de long en large dans le jardin, plongé dans ses pensées, et il semblait vouloir une dernière fois amasser sur lui toute la mélancolie des souvenirs.

Les enfants ne le laissèrent pas longtemps en paix; ils le poursuivirent, grimpèrent sur lui, lui racontèrent que, une fois le lendemain passé, puis un autre jour et encore un jour, ils iraient chez Lotte chercher leurs cadeaux de Noël et ils lui firent étalage de toutes les merveilles que se promettait leur petite imagination. « Demain, s'écria-t-il, et un autre jour et encore un jour ! » — Il les embrassa tous de tout son cœur et il se disposait à les quitter, lorsque le petit voulut lui dire encore quelque chose à l'oreille. Il lui révéla que ses grands frères avaient écrit pour le jour de l'An de belles lettres de vœux, longues comme ça..., une pour papa, une pour Albert et Lotte et une aussi pour Monsieur Werther; ils voulaient les leur remettre au matin du premier jour de l'année. Ce fut pour lui un accablement; il fit à tous un petit cadeau, se mit en selle et s'éloigna, des larmes dans les yeux.

Vers cinq heures il rentra chez lui, recommanda à la servante d'avoir soin du feu afin de l'entretenir pour la nuit. Au domestique il donna l'ordre de déposer livres et linge dans sa malle et d'empaqueter ses vêtements. C'est alors probablement qu'il écrivit ce paragraphe de sa dernière lettre à Lotte.

« Tu ne m'attends pas! Tu crois que je pourrais t'obéir et ne pas te revoir avant la soirée de Noël. Ô Lotte! aujourd'hui ou jamais. Le soir de Noël tu tiendras ce papier dans tes mains tremblantes et tu le mouilleras de tes chères larmes. Je le veux, je le dois. Oh! que je me sens bien d'avoir pris ma décision. »

Cependant Lotte était tombée dans un état étrange. Après son dernier entretien avec Werther elle avait senti quelle peine elle aurait à se séparer de lui, quelle souffrance il éprouverait, s'il devait s'éloigner d'elle.

Il avait été dit comme en passant, en présence d'Albert, que Werther ne reviendrait pas avant le soir de Noël et Albert était parti à cheval chez un fonctionnaire du voisinage, avec lequel il devait régler des affaires qui l'occuperaient jusqu'au lendemain.

Elle était donc seule, aucun de ses frères et sœurs ne se trouvait auprès d'elle; elle s'abandonna à ses

pensées silencieuses, qui roulaient sur sa situation.
Elle se voyait maintenant unie pour toujours à l'homme
dont elle connaissait l'amour et la fidélité, auquel elle
avait donné son cœur et dont le caractère calme et sûr
paraissait bien formé par le ciel pour qu'une honnête
femme puisse fonder sur lui le bonheur de sa vie ; elle
sentait ce qu'un tel époux serait toujours pour elle
et ses enfants. D'un autre côté, Werther lui était
devenu si cher, l'harmonie de leurs âmes s'était révélée
si belle dès leur première rencontre, la longue durée
de leurs relations et maintes situations vécues en commun avaient fait sur son cœur une impression ineffa-
çable. Elle avait coutume de partager avec lui tout ce
qui présentait de l'intérêt pour son âme ou son esprit
et son éloignement menaçait de créer dans tout son
être un vide que rien ne pourrait plus combler. Oh! si
elle avait pu dans cet instant même le changer en un
frère, comme elle aurait été heureuse! Si elle avait eu
le pouvoir de lui faire épouser une de ses amies, elle
aurait pu espérer qu'elle réussirait aussi à rétablir
entièrement la bonne intelligence entre Albert et lui.

Dans son esprit elle avait passé en revue toutes ses
amies, mais à chacune d'elles elle découvrait quelque
défaut, elle n'en trouva aucune, à qui elle accorderait
ce cadeau.

Toutes ces considérations lui firent d'abord sentir
profondément, sans qu'elle se le représentât clairement,
qu'il y avait dans son cœur le désir secret de garder
Werther pour elle et en même temps elle se disait
qu'elle ne pouvait pas, qu'elle ne devait pas le conserver ;
son âme pure et belle, si légère d'habitude et si riche
de ressources, sentait le poids d'une mélancolie devant
laquelle ne s'ouvre aucune perspective de bonheur.
Son cœur était oppressé et un nuage sombre couvrait
ses yeux.

Il était déjà six heures et demie lorsqu'elle entendit
Werther monter l'escalier et bientôt elle reconnut son
pas, sa voix, qui la demandait. Comme, à son approche,
son cœur battait — et nous pouvons presque dire :
pour la première fois. Elle lui aurait volontiers fait
dire qu'elle n'y était pas et lorsqu'il entra, elle lui cria
avec une espèce de trouble passionné : « Vous n'avez
pas tenu parole. — Je n'avais rien promis », fut sa réponse.
« Du moins auriez-vous dû céder à ma prière, répliqua-t-
elle ; je vous le demandais pour notre repos à tous deux. »

Elle ne savait pas très bien ce qu'elle disait, aussi peu que ce qu'elle faisait, quand elle envoya une invitation à quelques amies pour ne pas rester seule avec Werther. Il déposa quelques livres, qu'il avait apportés, en demanda d'autres ; elle souhaitait tantôt que ses amies arrivent, tantôt qu'elles s'en abstiennent. La servante revint, rapportant la nouvelle que toutes deux se faisaient excuser.

Elle voulut d'abord installer cette servante avec son travail dans la pièce voisine, puis elle changea d'avis. Werther arpentait la salle ; elle se mit au clavecin et commença un menuet, mais il ne coulait pas de source. Elle se ressaisit et s'assit d'un air détaché près de Werther, qui avait pris sa place habituelle sur le canapé.

« N'avez-vous rien à lire ? » demanda-t-elle. — Il n'avait rien. — Là, à l'intérieur de mon tiroir, reprit-elle, se trouve votre traduction de quelques chants d'Ossian [174]; je ne l'ai pas encore lue, car j'espérais toujours les entendre de votre bouche ; mais depuis ce temps-là l'occasion ne s'en est pas présentée, cela n'a pu s'arranger. » Il sourit, alla chercher les chants ; un frisson le parcourut, lorsqu'il les prit en main, et ses yeux se remplirent de larmes, quand il y porta ses regards. Il se rassit et lut :

« Étoile du crépuscule, belle tu scintilles à l'occident, tu élèves hors de ton nuage ta tête rayonnante, tu chemines avec majesté le long de ta colline. Où portes-tu tes regards sur la lande ? Les vents orageux se sont apaisés ; des lointains nous parvient le murmure des torrents ; les vagues bruissantes se jouent au pied du roc éloigné ; le bourdonnement des insectes vogue au-dessus des terres. Où portes-tu tes regards, belle lumière ? Mais tu souris et passes, les vagues t'entourent, joyeuses, et baignent ton aimable chevelure. Adieu, paisible rayon. Apparais, splendide lumière qui nous vient de l'âme d'Ossian.

La voici qui paraît dans sa puissance. Je vois mes amis disparus ; ils se rassemblent à Lora comme en ces jours qui ne sont plus. — Fingal vient, telle une humide colonne de brumes ; autour de lui sont ses héros ; et voici les bardes du chant : Ullin aux cheveux gris ! Ryno le majestueux ! Alpin à la voix qui plaît ! et toi, Minona, dont la plainte est si douce ! — Comme vous êtes changés, mes amis, depuis les jours de fête de

Selma, alors que nous nous disputions la palme du chant, semblables aux zéphyrs du printemps, qui sur le flanc de la colline font plier tour à tour l'herbe au léger chuchotement.

Alors Minona s'avança dans sa beauté, les regards baissés, les yeux emplis de larmes, le flot lourd de sa chevelure ondulant dans le vent vagabond qui descendait de la colline. Sombre devint l'âme des héros, quand elle éleva sa douce voix; car souvent ils avaient vu la tombe de Salgar, souvent aussi la sinistre demeure de Colma la blanche. Colma était abandonnée sur la colline, seule avec sa voix harmonieuse. Salgar avait promis de venir, mais alentour se répandait la nuit. Ecoutez la voix de Colma, assise seule sur la colline.

COLMA

C'est la nuit! Je suis solitaire, perdue sur la colline battue par la tempête! Le vent siffle dans la montagne. Le fleuve descend en hurlant les rochers. Pas de hutte qui me protège de la pluie, moi, abandonnée sur la colline battue par la tempête.

Sors, ô lune, de tes nuages, paraissez, étoiles de la nuit! Qu'un rayon me guide vers le lieu où mon aimé se repose des labeurs de la chasse, son arc détendu à son côté, ses chiens haletant autour de lui. Mais il me faut rester solitaire sur le rocher, au bord verdoyant de l'onde. Le fleuve et la tempête mugissent, je n'entends pas la voix de mon bien-aimé.

Pourquoi tarde-t-il, mon Salgar? A-t-il oublié sa promesse? — Voici le rocher et l'arbre, voilà le torrent qui gronde! Tu m'as promis d'être ici à l'approche de la nuit; hélas! où mon Salgar s'est-il égaré? Avec toi je voudrais fuir, quitter mon père et mon frère, les orgueilleux! Longtemps nos races furent ennemies, mais nous ne sommes pas des ennemis, ô Salgar!

Fais un instant silence, ô Vent! garde un court instant le silence, ô Fleuve! pour que ma voix résonne à travers la vallée, pour que mon voyageur m'entende. Salgar! c'est moi qui t'appelle! Voici l'arbre et le rocher! Salgar, mon bien-aimé! me voici; pourquoi tardes-tu à venir?

Vois, la lune apparaît, le flot brille dans la vallée, les rochers gris se dressent au flanc de la colline; mais lui, ne vois rien sur la hauteur, ses chiens, qui courent devant lui, n'annoncent pas son arrivée. Il me faut rester ici dans ma solitude.

Mais qui sont-ils, ceux qui là-bas gisent sur la lande? — Mon bien-aimé? Mon frère? — Parlez, ô mes amis! Ils ne répondent point. Quelle angoisse dans mon âme! — Hélas ils sont morts! Leurs épées rougies par le combat! Ô mon frère, mon frère, pourquoi as-tu donné la mort à mon bien-aimé Salgar? Ô mon Salgar, pourquoi as-tu donné la mort à mon frère? Vous m'étiez si chers, tous les deux! Ô! que tu étais beau parmi des milliers d'hommes, au pied de la colline! A la bataille, il était terrible. Répondez-moi! Écoutez ma voix, mes bien-aimés! Mais hélas! ils sont muets, pour toujours muets! Leur sein est froid comme la terre!

Oh! du rocher de la colline, du sommet de la montagne orageuse, parlez, esprit des morts! parlez! Je ne frémirai pas d'horreur! — Où êtes-vous allés reposer? Dans quel abîme de la montagne vous trouverai-je? — Nulle faible voix n'est perceptible dans le vent, nul souffle ne m'apporte de réponse dans la tempête de la colline.

Je suis assise là dans la désolation, j'attends le matin dans les larmes. Creusez la tombe, amis des morts, mais ne la fermez point avant que je vienne. Ma vie s'évanouit comme un rêve; pourquoi resterais-je en arrière! C'est ici que je veux demeurer avec mes amis au bord du fleuve au rocher qui résonne. — Quand la nuit tombera sur la colline, quand le vent soufflera sur la lande, mon ombre se dressera dans le vent et pleurera la mort de mes amis. Dans sa cabane de feuillage le chasseur entendra ma voix et il l'aimera, car elle se fera douce, ma voix, pour pleurer mes amis; ils m'étaient si chers tous les deux!

Tel fut ton chant, ô Minona, fille de Torman doucement rougissante. Nos larmes coulèrent pour Colma et notre âme devint sombre.

Ullin s'avança avec sa harpe et nous fit entendre le chant d'Alpin. Elle était aimable, la voix d'Alpin et l'âme de Ryno était un jet de feu. Mais déjà ils reposaient dans l'étroite demeure et leur voix dans Selma s'était tue. Un jour, Ullin revenait de la chasse; c'était avant la chute des héros. Il entendit leurs chants rivaux sur la colline. Leur chant était doux, mais triste. Ils déploraient le destin de Morar, le premier des héros. Son âme était semblable à l'âme de Fingal, son glaive était semblable à l'épée d'Oscar. Mais il tomba et son

père se lamenta et les yeux de sa sœur se remplirent de
larmes ; ils étaient pleins de larmes, les yeux de Minona,
sœur du splendide Morar. Devant le chant d'Ullin
elle se retira, comme se retire à l'ouest la lune qui,
pressentant la pluie d'orage, cache sa belle tête dans un
nuage. — Je jouai de la harpe avec Ullin pour accompagner le chant des lamentations.

RYNO

Le vent et la pluie ont cessé, le zénith est serein,
les nuages se dissipent. Dans sa fuite le soleil inconstant
illumine la colline. Aux feux rouges du soir le torrent
des montagnes coule dans la vallée. Doux est ton murmure, ô fleuve ; mais plus douce encore la voix que
j'entends. C'est la voix d'Alpin, qui pleure la mort. Sa
tête est courbée par l'âge et son œil est rougi par les
larmes. Alpin, chantre sublime, pourquoi es-tu seul
sur la colline silencieuse ? Pourquoi te lamentes-tu
comme un coup de vent dans la forêt, comme une
vague sur de lointains rivages ?

ALPIN

Mes larmes, Ryno, sont pour le mort, ma voix pour
les hôtes du tombeau. Tu es svelte sur la colline, tu es
beau parmi les fils de la lande. Mais tu tomberas comme
Morar et sur ta tombe l'affligé viendra s'asseoir. Les
collines t'oublieront et dans la grande salle tes arcs
resteront détendus.
Tu étais rapide, ô Morar, comme un chevreuil sur la
colline, redoutable comme le feu de la nuit, dans le ciel.
Ta colère était pareille à une tempête, ton épée dans la
bataille était comme l'éclair de l'orage au-dessus de la
lande. Ta voix ressemblait au torrent de la forêt après
la pluie, au tonnerre qui gronde sur les collines lointaines. Maints ennemis tombèrent sous les coups de ton
bras, la flamme de ton courroux les consuma. Mais
quand tu revenais de la guerre, quelle paix sur ton
front ! Ta face était pareille au soleil après l'orage,
pareille à la lune dans la nuit silencieuse, ta poitrine
était paisible comme le lac, quand le grondement du
vent s'est apaisé.

Étroite est maintenant ta demeure! Sombre le lieu de ton repos! Trois pas me suffisent pour mesurer ta tombe, ô toi! qui naguère étais si grand! Quatre pierres aux têtes moussues rappellent seules ta mémoire; un arbre effeuillé, l'herbe haute qui dans le vent chuchote indiquent au regard du chasseur la tombe du puissant Morar. Tu n'as pas ta mère pour te pleurer, tu n'as pas de jeune fille pour verser sur ta tombe des larmes d'amour. Elle est morte, celle qui t'enfanta, elles sont tombées, les filles de Morglan.

Qui vient là, appuyé sur son bâton? Quel est cet homme, dont la tête a blanchi avant l'âge, dont les yeux sont rougis par les larmes? C'est ton père, ô Morar, qui n'avait pas d'autre fils que toi. Il avait entendu célébrer ta renommée dans les combats, il avait entendu parler des ennemis mis en pièces; il avait entendu chanter la gloire de Morar. Hélas! n'a-t-il pas appris sa blessure? Pleure, père de Morar, pleure! Mais ton fils ne t'entend pas. Il est profond, le sommeil des morts, il est bas, leur coussin de poussière. Jamais Morar n'entendra ta voix, jamais il ne s'éveillera à ton appel. Quand sera-ce l'aurore dans la tombe pour crier au dormeur: « Éveille-toi! »

Adieu, ô toi, le plus noble des hommes, le conquérant dans la bataille. Mais jamais plus ce champ ne te verra, jamais plus la sombre forêt ne resplendira de l'éclat de ton glaive. Tu n'as laissé aucun fils, mais le chant sauvera ton nom, les temps futurs entendront ta louange, ils entendront dire comment tomba Morar.

Il éclata le deuil des héros, le plus éclatant fut le gémissement arraché à Armin. Il se rappelait la mort de son fils, tombé dans la fleur de la jeunesse. Tout près du héros, était assis Carmor, le prince de Galmal la sonore. « Pourquoi, ce gémissement, Armin, ce sanglot? dit-il, pourquoi y a-t-il lieu de pleurer ici? Une mélodie, un chant ne résonnent-ils pas pour fondre l'âme et la distraire? Ils sont semblables à une douce brume qui monte du lac pour s'éparpiller sur la vallée et emplir d'humidité les fleurs qui s'ouvrent; mais le soleil revient avec toute sa force et la brume a disparu. Pourquoi es-tu si plein de lamentations, Armin, souverain de Gorma à la ceinture de vagues?

ARMIN

Plein de lamentations ! Oui, je le suis et il n'est pas petit, l'objet de ma douleur. — Carmor tu n'as pas perdu de fils, tu n'as pas perdu de fille en fleur ; Colgar, le vaillant, est en vie, et Anita, la plus belle des jeunes filles. Les rameaux de ta souche sont en fleur, ô Carmor ; mais Armin est le dernier de sa race. Sombre est ta couche, ô Daura, sourd est ton sommeil dans la tombe. — Quand t'éveilleras-tu avec tes chants, avec ta voix mélodieuse ? Levez-vous, ô vents de l'automne, levez-vous et volez en tempête sur la lande sinistre ! Torrents de la forêt, grondez ! Hurlez, ouragans, dans la cime des chênes ! Chemine à travers des lambeaux de nuages, ô lune, et montre par instants ta face livide ! Rappelle-moi la nuit effroyable où périrent mes enfants, où Arindal, le puissant, tomba, où Daura, l'aimante, succomba.

Daura, ma fille, tu étais belle, aussi belle que la lune sur les collines de Fura, aussi blanche que la neige fraîche, aussi douce que le souffle de l'air ! Arindal, ton arc était puissant, ton javelot rapide sur le champ du combat, ton regard pareil à la brume sur la vague, ton bouclier un nuage de feu dans la tempête.

Armar, célèbre à la guerre, vint demander l'amour de Daura ; elle ne résista pas longtemps. Belles étaient les espérances de leurs amis.

Erath, fils d'Odgal, frémissait de colère, car Armar avait tué son frère. Il vint, déguisé en batelier. Belle était sa barque sur les vagues, blanchis avant l'âge ses cheveux, et paisible, son visage grave. « Ô toi, la plus belle des jeunes filles, dit-il, aimable fille d'Armin, là-bas, près de ce rocher entouré par la mer, là où tu vois briller à l'arbre le fruit rouge, là-bas Armar attend Daura ; je viens pour conduire son amante sur la vague ondulante. »

Elle le suivit et appela Armar ; rien ne répondait que la voix du rocher. « Armar ! mon aimé ! mon aimé ! Pourquoi m'angoisses-tu ainsi ? Entends-moi, fils d'Arnath ! Entends ma voix ! C'est Daura qui t'appelle. »

Erath, le traître, fuyait en riant vers la terre ferme. Elle éleva la voix, appela son père et son frère : « Arindal ! Armin ! Aucun de vous ne viendra-t-il sauver sa Daura ? »

Sa voix franchit la mer. Arindal, mon fils, descendit
de la colline ; le corps vêtu des sauvages produits de sa
chasse ; ses flèches cliquetaient à son côté, il tenait son
arc à la main, cinq dogues au poil gris-noir l'entouraient.
Il vit l'audacieux Erath sur le rivage, le saisit et l'attacha
à un chêne, entourant ses flancs de liens solides ; le
captif emplissait les airs de ses plaintes.

Arindal lance sa barque sur les flots pour ramener
Daura. Armar survint dans son courroux et décocha la
flèche à l'empennage gris ; elle siffla, elle s'enfonça
dans ton cœur, ô Arindal, mon fils ! Au lieu d'Erath, le
traître, ce fut toi qui péris ; la barque atteignit le rocher,
il s'y affaissa et mourut. A tes pieds tu vis couler le sang
de ton frère, quelle fut ta douleur, ô Daura !

Les vagues fracassent la barque. Armar se précipite
dans la mer pour sauver sa Daura ou mourir. Bientôt
un coup de vent de la colline fonce sur les vagues ;
Armar coula et ne reparut plus.

Seule sur le rocher battu des flots, ma fille se lamen-
tait et j'entendais ses plaintes. Ils ne cessaient pas ses
cris perçants, et pourtant son père ne pouvait la sauver.
La nuit entière je me tins sur le rivage et je la voyais
dans les pâles rayons de la lune ; la nuit entière j'entendis
ses cris ; le vent était fort et la pluie frappait avec violence
du côté de la montagne. Sa voix faiblit avant que parût le
matin, elle s'évanouit peu à peu comme la brise du soir
parmi l'herbe des rochers. Écrasée de douleur elle
mourut, laissant Armin solitaire.

Il n'est plus, celui qui faisait ma force dans les combats, elle est tombée, celle qui faisait ma fierté parmi les
jeunes filles.

Quand les tempêtes descendent de la montagne,
quand l'aquilon soulève les vagues, je reste assis sur le
rivage retentissant et je tourne mes regards vers le
rocher sinistre. Souvent, quand la lune décline, je vois
les ombres de mes enfants : à demi vaporeuses, elles
cheminent ensemble dans une triste union. »

Un flot de larmes qui jaillit des yeux de Lotte et
soulagea son cœur oppressé, interrompit Werther dans
la lecture de ce chant. Il jeta le manuscrit, lui saisit la
main et versa les larmes les plus amères. Appuyée sur
l'autre main, Lotte cachait ses yeux dans son mouchoir.
Leur émoi à tous deux était terrible. Ils ressentaient leur
propre détresse dans le destin des nobles héros, ils la

ressentaient ensemble et leurs larmes se confondaient.
Les lèvres et les yeux de Werther brûlaient contre le
bras de Lotte ; un frisson la saisit ; elle voulut s'éloigner,
mais la souffrance et la compassion pesaient sur elle
comme du plomb et l'engourdissaient. Elle reprit
haleine pour se remettre et le pria en sanglotant de
continuer sa lecture, elle l'en pria d'une voix toute
céleste. Werther tremblait, le cœur près d'éclater ; il
releva le manuscrit et lut d'une voix à demi brisée.

« Pourquoi me réveiller, ô souffle du printemps ?
Ta voix caressante me dit : Je viens, chargé de la rosée
du ciel! Mais le temps est proche où je vais me flétrir et
proche est la tempête qui va me dépouiller de mes
feuilles! Demain viendra le voyageur, il reviendra,
lui qui me vit dans ma beauté ; son regard me cherchera
dans les champs d'alentour et ne me trouvera pas [175]. »

Toute la puissance de ces paroles s'abattit sur le
malheureux. Dans un complet désespoir il se jeta aux
genoux de Lotte, lui saisit les mains, les pressa sur ses
yeux, contre son front et elle crut sentir passer dans son
âme un pressentiment du terrible projet qu'il avait
formé. Dans le trouble de ses sens elle lui pressa les
mains, les pressa contre sa poitrine, se pencha vers lui
avec un élan de compassion et leurs joues brûlantes se
touchèrent. Le monde pour eux s'anéantit [176]. Il l'entoura de ses bras, la pressa contre sa poitrine et couvrit
ses lèvres tremblantes et balbutiantes de baisers furieux.
« Werther »! s'écria-t-elle d'une voix étouffée, en se
détournant de lui, « Werther », et d'une main faible
elle écarta sa poitrine de la sienne ; « Werther », s'écria-
t-elle, et le ton ferme de sa voix révélait le sentiment le
plus noble. — Il ne résista pas, la laissa s'échapper de ses
bras et se jeta à ses pieds comme un insensé. — Elle se
dressa et dans le trouble le plus angoissé, frémissante et
ballottée entre l'amour et la colère, elle lui dit : « C'est la
dernière fois, Werther! Vous ne me reverrez pas. » Et
jetant sur le malheureux le regard le plus chargé
d'amour, elle se hâta dans la chambre voisine et s'y
enferma. — Werther tendit les mains vers elle, mais
n'osa pas la retenir. Il était allongé à terre, la tête sur le
canapé et il resta dans cette posture plus d'une demi-
heure, jusqu'à ce qu'un bruit le fît revenir à lui. C'était
la servante qui venait mettre la table. Il arpenta la pièce

puis, lorsqu'il se vit de nouveau seul, il alla à la porte de
la chambre et dit à voix basse : « Lotte! Lotte! Un mot
encore, un seul! Un mot d'adieu! » — Elle resta silencieuse. — Il attendit, supplia, attendit ; puis il s'arracha
de ces lieux en s'écriant : « Adieu, Lotte! Pour toujours
adieu! [177]

Il arriva à la porte de la ville. Les gardes, qui avaient
déjà coutume de le voir, le laissèrent sortir sans mot dire.
Il bruinait, mi-pluie, mi-neige, et c'est seulement vers
onze heures qu'il frappa de nouveau à la porte. Son
domestique remarqua, lorsque Werther revint chez lui,
que son maître n'avait pas de chapeau. Il n'osa pas lui
poser de question, le déshabilla ; tous ses vêtements
étaient mouillés. On a trouvé plus tard son chapeau sur
un rocher qui du flanc de la montagne domine la vallée
et on ne comprend pas comment il a pu, dans une nuit
sombre et humide, l'escalader sans tomber.

Il se mit au lit et dormit longtemps. Le domestique le
trouva en train d'écrire, lorsque, le lendemain matin, sur
son appel, il lui apporta le café. Werther ajouta ce qui
suit à sa lettre pour Lotte :

« Pour la dernière fois donc, pour la dernière fois
j'ouvre les yeux. Hélas! ils ne reverront plus le soleil ; un
jour trouble et nébuleux les recouvre. Prends donc mon
deuil, ô Nature!... Ton fils, ton ami, ton bien-aimé approche de sa fin. Lotte, c'est un sentiment sans pareil et
pourtant proche d'un songe crépusculaire, de se dire :
Voici mon dernier matin. Le dernier! Lotte, ce mot n'a
pas de sens pour moi : Le dernier! Est-ce que je ne me
dresse pas dans toute ma force? Et demain je serai
étendu, sans force sur le sol. Mourir! Qu'est-ce que cela
signifie? Vois, nous rêvons, quand nous parlons de la
mort. J'ai vu mourir plus d'un être, mais l'humanité est
si bornée qu'elle n'a pas le sens du début et de la fin de
son existence. Maintenant encore je suis à moi, je suis à
toi! A toi! Ô ma bien-aimée! Et dans un instant —
séparés, désunis — peut-être pour toujours? — Non,
Lotte, non. — Comment pourrais-je m'anéantir?
Comment pourrais-tu t'anéantir? Ne *sommes*-nous pas?
— S'anéantir. Qu'est-ce que cela signifie? C'est encore
un mot, un son creux, qui n'a pas de sens pour mon
cœur. Mort, Lotte! enfoui dans la froide terre... si
étroite! si sombre! — J'avais une amie [178] qui fut tout
pour moi, pour ma jeunesse désemparée ; elle mourut, je

suivis sa dépouille. Je restai au bord de la tombe, tandis
que l'on y descendait la bière ; j'entendis crisser les
cordes que l'on retirait et remontait, j'entendis la
première pelletée de terre tomber avec un bruit sourd et
le cercueil répondit par un son sourd et angoissé, qui se
fit plus sourd encore, de plus en plus sourd jusqu'à ce
qu'il fût entièrement recouvert. Je m'abattis près de la
tombe — saisi, ébranlé, angoissé, déchiré intérieurement,
mais je ne savais pas ce qui m'arrivait... ce qui m'arrivera. Mourir ! Tombe ! ce sont des mots que je ne
comprends pas.

« Oh ! pardonne-moi ! pardonne-moi ! Hier, cela
aurait dû être le dernier moment de ma vie. Ô mon ange !
Pour la première fois, oui pour la première fois sans
que j'en puisse douter, j'ai senti jusqu'au fond de mon
être pénétrer l'ardeur de ce sentiment bienheureux : elle
m'aime ! elle m'aime ! Il brûle encore sur mes lèvres, le
feu sacré qui affluait des tiennes, une nouvelle et chaude
félicité est dans mon cœur : Pardonne-moi ! Pardonne-
moi !

« Ah ! Je le savais que tu m'aimais. Je l'avais su dès
ton premier regard, où s'exprimait ton âme, dès ton
premier serrement de mains, et pourtant, quand de nouveau j'étais éloigné de toi, quand je voyais Albert à ton
côté, je retombais, découragé, dans le doute et la fièvre.

« Te souviens-tu des fleurs que tu m'envoyas, le jour
où dans cette maudite réunion tu n'avais pu ni me dire
un mot ni me tendre la main ? Oh ! j'ai passé la moitié de
la nuit à genoux devant elles, qui étaient pour moi le
sceau de ton amour. Mais hélas ! ces impressions s'éva-
nouirent, comme s'efface peu à peu dans l'âme du
croyant le sentiment de la grâce divine qui lui avait été
dispensée avec une profusion céleste sous des signes
visibles et sacrés.

« Tout cela est périssable, mais nulle éternité n'étein-
dra l'ardente vie que j'ai savourée hier sur tes lèvres,
que je sens en moi. Elle m'aime ! Ce bras l'a enlacée, ces
lèvres ont tremblé sur les siennes, cette bouche a bal-
butié contre la sienne. Elle est à moi ! Tu es à moi !
oui, Lotte, pour toujours.

« Et qu'importe qu'Albert soit ton mari ! Ton mari !
Pour ce monde ce serait donc — pour ce monde — un
péché de t'aimer, de vouloir t'arracher de ses bras pour
te prendre dans les miens ? Péché ? Bien, je m'en punis ;
ce péché, je l'ai goûté dans toute sa céleste félicité,

j'ai aspiré en lui le baume de la vie et la force qui emplit mon cœur. Depuis cet instant-là tu es à moi, tu es mienne, ô Lotte! Je te précède, je vais à mon Père [179], à ton Père. A lui je dirai ma plainte et il me consolera jusqu'à ce que tu viennes; alors je volerai à ta rencontre et je te saisirai et je resterai auprès de toi, en face de l'Être infini, uni à toi dans un enlacement éternel.

« Je ne rêve pas, je ne délire pas! Proche du tombeau, je vois plus clair. Nous serons! nous nous reverrons [180]! Revoir ta mère! Je la verrai, je la trouverai, ah! et devant elle j'épancherai tout mon cœur. Ta mère! Ta parfaite image! »

Vers onze heures Werther demanda à son domestique si Albert était de retour. Le valet répondit affirmativement : il avait vu emmener son cheval. Alors il lui remit un billet ouvert avec ces mots :

« Auriez-vous [181] l'obligeance de me prêter vos pistolets en vue d'un voyage que je projette [182]? Adieu! Portez-vous bien! »

Lotte, la chère femme, avait peu dormi au cours de la nuit précédente; ce qu'elle avait redouté s'était réalisé et réalisé d'une manière qu'elle ne pouvait ni pressentir ni craindre. Son sang qui d'habitude coulait si pur et si léger était en proie à la fièvre : mille sentiments divers bouleversaient son noble cœur. Était-ce le feu des enlacements de Werther qu'elle sentait dans son sein? Était-ce colère contre le téméraire! Était-ce la désagréable comparaison de sa situation présente avec les jours d'innocence libre, parfaitement naïve, et de confiance insouciante en elle-même? Comment devrait-elle aller au-devant de son mari? Comment lui confesser une scène qu'elle pouvait si bien avouer et que pourtant elle n'osait pas s'avouer à elle-même? Ils avaient si longtemps gardé le silence l'un envers l'autre; devrait-elle être la première à le rompre pour faire à son mari, à un moment si mal choisi, une révélation si imprévue? Déjà elle redoutait que la simple nouvelle de la visite de Werther lui fasse une impression désagréable et il faudrait encore lui annoncer cette catastrophe inattendue! Pouvait-elle réellement espérer que son mari la verrait sous son vrai jour, l'accepterait sans aucun préjugé? Et pouvait-elle souhaiter qu'il lise dans son âme? Et d'un autre côté, pouvait-elle dissimuler en présence d'un homme devant lequel elle avait toujours été dans sa franchise et sa liberté aussi claire qu'un verre de cristal, auquel elle n'avait jamais caché, ni même pu cacher aucun de ses sentiments? L'une et l'autre possibilité lui causaient des soucis, la plongeant dans l'embarras; et toujours ses pensées revenaient à Werther, qui était perdu pour elle, qu'elle ne pouvait quitter, qu'elle devait, hélas! abandonner à lui-même et à qui, quand elle serait perdue pour lui, plus rien ne resterait.

De quel poids pesait sur elle, sans que pour l'instant elle pût se l'expliquer clairement, l'embarras de la situation créée entre eux! Des êtres aussi intelligents et aussi bons ont commencé, à cause de certaines différences secrètes, à se renfermer dans un mutuel silence, chacun étant préoccupé de son bon droit et des torts de l'autre, puis les relations se compliquèrent et s'envenimèrent au point qu'il devint impossible de défaire le nœud à l'instant critique où tout en dépendait. Si une heureuse intimité les avait plus tôt rapprochés, l'affection et l'indulgence auraient vivifié leurs rapports et ouvert leurs cœurs, peut-être notre ami aurait-il pu encore être sauvé.

A cela s'ajoutait encore une circonstance singulière. Comme nous le savons par ses lettres, Werther n'avait jamais fait mystère de son désir de quitter ce monde. Albert l'avait souvent combattu; en outre il en avait parfois été question dans les entretiens de Lotte avec son mari. Celui-ci, qui éprouvait une aversion résolue pour le suicide, avait aussi fort souvent, avec une espèce d'énervement qui n'était pas du tout dans son caractère habituel, donné à comprendre qu'il avait des raisons de mettre sérieusement en doute le sérieux d'un tel projet; il s'était même permis quelque plaisanterie à ce sujet et il avait communiqué son incrédulité à Lotte. D'une part cela pouvait la tranquilliser, il est vrai, quand ses pensées lui présentaient cette triste image, d'autre part, elle se sentait par là empêchée de faire part à son mari des inquiétudes qui en ce moment la tourmentaient.

Albert revint et Lotte alla au-devant de lui avec une hâte mêlée d'embarras; il n'était pas d'humeur sereine : son affaire n'était pas réglée, il avait trouvé dans le bailli voisin un homme buté et d'esprit étroit.

Le mauvais état de la route l'avait également rendu maussade.

Il demanda s'il ne s'était rien passé ; elle répondit avec précipitation que Werther était venu la veille au soir. Il demanda si des lettres étaient arrivées et reçut pour réponse qu'une lettre et des paquets l'attendaient dans son bureau. Il y alla et Lotte resta seule. La présence de l'homme qu'elle aimait et respectait avait fait une nouvelle impression sur son cœur. Le souvenir de sa noblesse, de son amour et de sa bonté avait un peu calmé son âme, elle sentait en elle un secret désir de le suivre, elle prit son travail et alla dans son bureau, comme elle avait coutume de le faire. Elle le trouva occupé à ouvrir les paquets et à lire. Quelques lettres semblaient ne pas contenir des choses bien agréables. Elle lui posa des questions, auxquelles il répondit brièvement, puis il se mit au pupitre pour écrire.

Ils restèrent ainsi une heure l'un près de l'autre et l'âme de Lotte s'assombrissait de plus en plus. Elle sentait à quel point il lui serait pénible de révéler à son mari, même s'il était de la meilleure humeur, ce qui pesait sur son cœur ; elle tomba dans une mélancolie qui lui causait une angoisse d'autant plus grande qu'elle s'efforçait de la cacher et de dévorer ses larmes.

L'apparition du valet de Werther la plongea dans le plus grand désarroi ; elle tendit le papier à Albert qui, se tournant avec calme vers sa femme, lui dit : « Donne-lui les pistolets. » Il s'adressa au domestique : « Dites-lui que je lui souhaite un heureux voyage. » — Cela tomba sur elle comme un coup de tonnerre ; elle se leva en chancelant, elle ne savait pas ce qui se passait en elle. Lentement elle alla vers le mur ; tremblante, elle décrocha les armes, en essuya la poussière, hésita et aurait tardé longtemps encore, si Albert ne lui avait lancé un regard interrogateur et pressant. Elle remit les instruments du malheur au domestique, sans pouvoir prononcer un mot et, lorsqu'il eut quitté la maison, elle plia son ouvrage pour regagner sa chambre, en proie à la plus inexprimable incertitude. Son cœur lui prédisait toutes les épouvantes. Tantôt elle était sur le point de se jeter aux pieds de son mari pour tout lui découvrir, la scène de la veille au soir, sa faute et ses pressentiments. Tantôt elle ne voyait pour cette tentative aucune issue favorable et ce qu'elle pouvait le moins espérer, c'était de déterminer son mari à se rendre auprès de Werther. On mit la table ; une bonne amie, qui ne venait que pour un renseignement et voulait repartir aussitôt, mais resta, rendit supportable la conversation pendant le repas ; on se fit violence, on parla, on raconta, on s'oublia.

Le domestique rapporta les pistolets à Werther, qui les prit de ses mains avec transport, lorsqu'il apprit que c'était Lotte qui les lui avait donnés. Il se fit apporter du pain et du vin, dit au valet d'aller dîner et s'assit pour écrire.

« Ils ont passé par tes mains, tu en as essuyé la poussière, je les couvre de mille baisers, tu les as touchés ! Et toi, esprit du ciel, tu favorises mon dessein, et toi, Lotte, tu me tends l'arme, toi, des mains de qui je souhaitais recevoir la mort, de qui maintenant je la reçois. Hélas ! Oh ! j'ai interrogé mon domestique. Tu tremblais en lui remettant les pistolets, tu n'as pas eu un seul mot d'adieu. — Malheur ! Malheur ! Pas un mot d'adieu ! — M'aurais-tu donc fermé ton cœur à cause de cet instant qui m'a uni à toi pour l'éternité ? Lotte, il n'est pas de millénaire qui puisse effacer cette impression et, je le sens bien, tu ne peux pas haïr celui qui brûle pour toi d'un tel feu. »

Après le repas il ordonna à son domestique d'achever les paquets, déchira bien des papiers, sortit et régla encore quelques dettes. Il revint à la maison, ressortit en dépit de la pluie, alla dans le jardin du comte, erra plus loin dans la contrée, ne revint qu'à la nuit tombante et écrivit.

« Wilhelm, j'ai vu pour la dernière fois les champs et les forêts et le ciel. Adieu à toi aussi ! Ma chère mère, pardonnez-moi ! Console-la, Wilhelm ! Dieu vous bénisse ! Mes affaires sont en ordre. Adieu ! Nous nous reverrons plus joyeux. »

« Je t'ai bien mal récompensé, Albert et tu me pardonneras. J'ai troublé la paix de ta maison. J'ai semé la méfiance entre vous. Adieu ! Je veux y mettre fin. Oh ! puissiez-vous être heureux par ma mort ! Albert ! Albert ! rends heureux cet ange ! Et que la bénédiction de Dieu repose sur toi ! »

Le soir, il fouilla encore longuement dans ses papiers, en déchira beaucoup et les jeta au feu, cacheta quelques paquets à l'adresse de Wilhelm. Ils contenaient de petits essais [183], des pensées détachées, dont quelques-unes m'étaient connues. A dix heures, après avoir fait ajouter du bois au feu et demandé une bouteille de vin, il envoya au lit son domestique, dont la chambre, comme celles des gens de la maison, donnait sur le derrière, loin de la sienne; celui-ci s'étendit sans ôter ses vêtements afin d'être prêt de bon matin, car son maître lui avait dit que les chevaux de poste seraient devant la porte à six heures du matin.

« Après onze heures.

« Tout est si calme autour de moi et mon âme si paisible. Je te remercie, ô Dieu, de m'avoir accordé pour ces derniers instants cette chaleur, cette force.

« Je vais à la fenêtre, ma très chère, et je regarde. Je vois encore parmi les nuages que chasse la tempête des étoiles isolées du ciel éternel! Non, vous ne tomberez pas! L'Éternel vous porte contre son cœur comme moi-même. Je vois le timon du Chariot, la constellation qui m'est la plus chère de toutes. Quand je te quittais, la nuit, et franchissais ta porte, elle se trouvait en face de moi. Avec quelle ivresse je l'ai regardée et souvent, levant les bras vers elle, j'en ai fait le signe et le témoin sacré de ma félicité présente! Et encore... ô Lotte! qu'y a-t-il qui ne me rappelle ton souvenir? Est-ce que tu ne m'entoures pas? Et n'ai-je pas, comme un enfant insatiable, attiré à moi toutes sortes de bagatelles que toi, Sainte, tu avais touchées?

« Silhouette aimée! Je te la lègue en retour, Lotte, et te prie de l'honorer. J'y ai imprimé mille et mille baisers. Je lui ai envoyé mille saluts quand je quittais la maison ou y revenais.

« Par un billet j'ai prié ton père de protéger ma dépouille. Au cimetière se dressent deux tilleuls, au fond, dans le coin qui donne sur les champs; c'est là que je désire reposer [184]. Il fera cela pour son ami, il le peut; joins ta prière à la mienne. Je ne peux pas attendre de pieux chrétiens qu'ils allongent leur corps à côté d'un pauvre infortuné. Ah! je voudrais que vous m'enterriez au bord de la route ou bien dans une vallée solitaire et que, passant près de la pierre qui

marque ma tombe, le prêtre ou le lévite se signe et
que le Samaritain [185] verse une larme.

« Vois, Lotte! Je ne frissonne pas en saisissant la
terrible et froide coupe, où je vais boire l'ivresse de la
mort! C'est toi qui me la tends et je n'hésite pas. Tout!
Tout! Ainsi tous les désirs et les espoirs de ma vie sont
accomplis! Frapper ainsi, d'une main froide et raidie,
à la porte d'airain de la mort.

« Pourquoi faut-il que le bonheur ne me soit pas
échu de mourir pour *toi*, Lotte! De me sacrifier pour
toi! Je mourrais courageusement, je mourrais joyeuse-
ment, si je pouvais te rendre le calme, le bonheur
de ta vie. Mais hélas! Il n'a été donné qu'à peu d'êtres
nobles de verser leur sang pour les leurs et par leur
mort d'attiser chez leurs amis une vie centuplée.

« C'est dans ces vêtements, Lotte, que je veux être
enterré, tu les as touchés, sanctifiés; j'en ai prié aussi
ton père expressément. Mon âme planera au-dessus
de mon cercueil. On ne doit pas fouiller mes poches.
Ce nœud d'un rose pâle, que tu portais sur ton sein,
lorsque je te vis pour la première fois parmi tes enfants!
Oh! donne-leur mille baisers et conte-leur la destinée
de leur malheureux ami. Les chers petits! Ils se pressent
autour de moi. Ah! comme je m'attachai à toi! Dès le
premier instant je ne pus te quitter. — Ce nœud de
rubans doit être enterré avec moi. Tu me l'offris au
jour anniversaire de ma naissance. Avec quelle avidité
je reçus tout cela! — Hélas! Je ne pensais pas que
mon chemin me conduirait jusqu'ici! — Sois calme!
Je t'en prie, sois calme!

« Ils sont chargés — Minuit sonne. Que cela soit
donc! — Lotte! Lotte! Adieu! Adieu! »

Un voisin vit l'éclair de la poudre et entendit le
coup, mais comme ensuite tout resta silencieux, il n'y
prêta pas davantage attention.

Au matin, vers six heures, le domestique entre avec
une lumière. Il trouve son maître à terre, le pistolet,
le sang. Il l'appelle, le saisit; pas de réponse, mais
Werther râlait encore. Il court à la recherche d'un
médecin, chez Albert. Lotte entend la sonnette, un
tremblement s'empare de tous ses membres. Elle
éveille son mari, tous deux se lèvent; en sanglotant et
balbutiant le domestique annonce la nouvelle; Lotte
s'affaisse, évanouie, aux pieds d'Albert.

Lorsque le médecin arriva auprès du malheureux, il le trouva à terre sans possibilité de le sauver ; le pouls battait, les membres étaient tous paralysés. Il s'était tiré le coup à travers la tête au-dessus de l'œil droit, la cervelle avait jailli au-dehors. Pour ne rien négliger on le saigna au bras, le sang coula, il respirait toujours.

A en juger par le sang qu'on voyait sur le dossier de son siège on pouvait conclure qu'il avait accompli son acte assis à sa table de travail, qu'il s'était ensuite affaissé et qu'il avait roulé convulsivement autour de son fauteuil. Il gisait vers la fenêtre sur le dos, sans mouvement, était entièrement vêtu, botté, en frac bleu avec gilet jaune [186].

La maison, le voisinage, la ville furent bientôt en effervescence. Albert entra. On avait déposé Werther sur le lit, bandé son front ; son visage était déjà celui d'un mort, il ne bougeait pas. Les poumons faisaient encore entendre leur râle affreux, tantôt faible, tantôt plus fort ; on attendait sa fin.

Du vin il n'avait bu qu'un verre. *Emilia Galotti* [187] était ouvert sur son pupitre.

De la consternation d'Albert, de la désolation de Lotte, permettez-moi de ne rien dire.

Le vieux bailli vint à bride abattue, dès qu'il eut appris la nouvelle ; il donna un baiser au mourant et versa les larmes les plus brûlantes. Les aînés de ses fils arrivèrent peu après lui, à pied, tombèrent à genoux près du lit en exprimant la plus violente douleur ; ils lui baisèrent les mains et les lèvres et l'aîné, qu'il avait le plus aimé, resta attaché à ses lèvres jusqu'à ce qu'il expirât et qu'on l'éloignât de force. Il mourut à midi. La présence du bailli et les dispositions qu'il prit empêchèrent tout rassemblement. La nuit, vers onze heures, il le fit ensevelir à l'endroit qu'il s'était choisi. Le vieillard suivit la dépouille, ainsi que ses fils. Albert n'en eut pas la force. On craignait pour la vie de Lotte. Des artisans portèrent le corps. Nul prêtre ne l'accompagna [188].

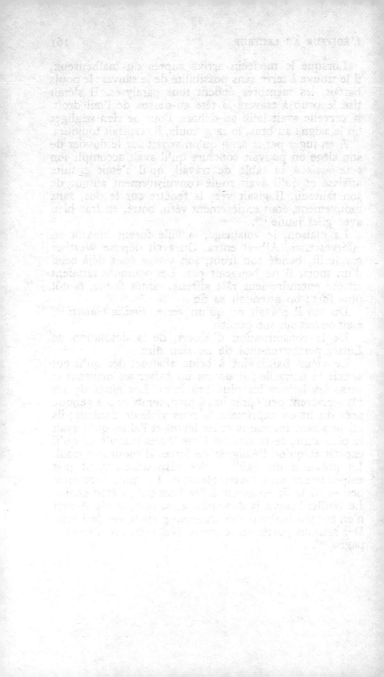

A WERTHER

Une fois encore tu oses, ombre tant pleurée,
Te montrer à la lumière du jour,
Tu me rencontres sur des prairies aux fleurs nouvelles
Et mon regard ne t'effarouche pas.
Tu sembles vivre à cet instant de l'aube,
Où sur chaque pré la rosée nous rafraîchit,
Ou bien quand, après les labeurs déplaisants du jour,
Le soleil qui nous fuit nous ravit par son dernier rayon ;
J'étais élu pour rester, toi élu pour partir,
Tu me précédas et tu n'as pas beaucoup perdu.

La vie de l'homme paraît un destin splendide :
Que le jour est aimable et que la nuit est grande !
Et nous, plantés dans les délices d'un paradis,
A peine savourons-nous le très illustre soleil
Que déjà une aspiration confuse entre en lutte
Tantôt avec nous-mêmes, tantôt avec notre entourage ;
Rien ne trouve au-dehors le complément souhaitable,
L'apparence est sombre, alors que l'intérieur resplendit,
Mon regard trouble découvre un extérieur brillant,
Voilà que le bonheur est proche — et on le méconnaît.

Maintenant nous croyons le connaître ! Avec violence
Les charmes d'une forme féminine nous saisissent :
Le jeune homme, joyeux comme dans la fleur de l'en-
                                                [fance,
Au printemps apparaît, tel le printemps lui-même,
Étonné et ravi, qui donc en est la cause ?
Il regarde alentour, le monde lui appartient.
Une hâte ingénue l'attire au loin,
Rien ne l'enserre, ni mur, ni palais ;
Comme une troupe d'oiseaux frôle les cimes des arbres,
Ainsi plane-t-il, lui qui rôde autour de sa bien-aimée ;

De l'éther, que volontiers il quitte, il cherche
Le regard fidèle et celui-ci le tient captif.

Pourtant trop tôt d'abord, puis trop tard averti,
Il sent son vol entravé, il se sent pris au piège.
Le revoir est joyeux, mais le départ est lourd,
Un deuxième revoir est encore plus heureux.
Un seul instant compense des années ;
Mais au terme un adieu perfide nous attend.

Tu souris, mon ami, sensible comme il se doit :
C'est ton affreux départ qui t'a rendu célèbre ;
Nous avons célébré ton malheur pitoyable,
Tu nous abandonnas pour l'heur et le malheur ;
Puis une course incertaine de nouveau nous entraîna
Dans le labyrinthe des passions ;
Et nous voici, succombant sous le même péril,
Proche du départ, car mourir, c'est partir !
Quel son touchant, quand le poète chante pour
Éviter la mort qu'apporte le départ !
Pris au filet de tels tourments et à demi coupable,
Qu'un Dieu lui accorde le don de dire ses souffrances !

NOTES

1. Werther n'est pas un nom propre, mais le comparatif de l'adjectif « werth », et signifie donc « plus cher ». Or, dans une de ses fort intéressantes lettres de 1772, Kestner avait annoncé à son ami August von Hennings qu'un « certain Gœthe de Francfort » était arrivé au printemps, avait rencontré au bal sa fiancée Charlotte et s'était épris d'elle, mais qu'elle avait su le traiter de telle manière qu'il dut se résoudre à n'être pour elle qu'un ami. Cette évolution n'alla pas, écrit-il, sans « maintes scènes mémorables, au cours desquelles Lotte gagna beaucoup à mes yeux et lui devait aussi me devenir plus cher (werther) comme ami » (Édition de Hambourg, p. 516). Cela conduisit Wilhelm Bode à imaginer que, parlant à Gœthe lui-même, Kestner a dû lui dire plus d'une fois : « Sie sind mir werther geworden »; il lui aurait ainsi fourni le nom de son héros (Gœthes Leben 1771-1774. Der erste Ruhm). — L'adjectif « werth » s'écrit maintenant « wert ».

2. Gœthe ne peut pas s'identifier avec son héros qui s'est suicidé, mais on sent dans cette courte introduction à quel point il est proche du « malheureux Werther », dont il se fait en somme l'exécuteur testamentaire. C'est lui qui le présente et c'est lui qui après la mort de Werther sera « l'éditeur », car il ne saurait admettre l'intrusion d'un tiers qui à sa place conterait et expliquerait la fin de son « double » lyrique.

3. Au début de mai 1772 Gœthe était à Wetzlar; la poésie suit donc la réalité et déjà nous pensons à Dichtung und Wahrheit (Poésie et Vérité); mais dans le roman, s'il conserva le mois printanier, il avança d'une année son arrivée, peut-être pour que les dernières lettres et le « récit de l'éditeur » coïncident avec le suicide de Jérusalem, en 1772.

4. Le lecteur ne pourra s'empêcher de penser aux filles du maître à danser de Strasbourg ou à Frédérique Brion, mais le premier épisode n'est peut-être qu'une invention de poète et Frédérique aurait mérité mieux que cette simple mention bien banale.

5. Gœthe avait effectivement à Wetzlar une tante, Suzanne Maria Cornelia Lindheimer, qui épousa successivement les « conseillers auliques » Dietz et Lange.

6. Wetzlar (voir préface).

7. Ce jardin avait été créé en 1763 par Ph.-L. Meckel; c'était évidemment un jardin à l'anglaise, comme on les aimait à cette époque. Cf. Rousseau : La Nouvelle Héloïse (IVe partie, lettre XI), en particulier le passage qui commence par « Que fera donc l'homme de goût qui vit pour vivre, qui sait jouir de lui-même... » (Éd. Garnier, 1960, p. 465).

8. Tout ce passage, où de la vision de l'infiniment petit Werther s'élève à l'adoration de l'infiniment grand, reflète l'état d'esprit de

l'époque : on trouve une inspiration analogue chez Rousseau (lettre du 26 janvier 1762 à M. de Malesherbes et *Nouvelle Héloïse*), chez Klopstock *(Frühlingsfeier)* etc. et on la retrouve dans *Ganymède*, le magnifique poème que Gœthe composa sans doute au printemps de 1774. Il convient de souligner, comme le fait Erich Trunz (Édition de Hambourg, t. VI, p. 561), que la forme rythmique est très fréquente dans la première partie du roman, au point qu'on pourrait souvent le transcrire en vers libres; elle apparaît surtout dans des moments comme celui-ci, où Werther exprime ses aspirations religieuses, proches du panthéisme. Nous avons essayé de conserver dans notre traduction le rythme de ce beau poème en prose.

9. C'était la fontaine de Wöllbach, qui porte maintenant le nom du poète.

10. La légende de Mélusine, à la fois femme et poisson, qui vient de France, était depuis longtemps très populaire en Allemagne. Gœthe ne cessa pas de s'intéresser à elle et bien plus tard il devait publier dans *Les années de voyage de Wilhelm Meister* le conte de « La Nouvelle Mélusine ».

11. Nausicaa dans l'*Odyssée*.

12. Souvenirs de la Bible : Jacob rencontre Rachel « au puits de Haran » (*Genèse*, XXIX, 1-12); de même c'est à une source que le serviteur d'Abraham rencontra Rébecca, qui deviendra la femme du fils de son maître (*Genèse*, XXIV, 42-45). Voir Bible de Jérusalem (Édit. du Cerf 1956, pp. 36 et 31).

13. Cf. dans *Die Räuber* de Schiller la phrase célèbre : « Mir ekelt vor diesem tintenklecksenden Säkulum » (1, 2) (« Je suis écœuré par ce siècle barbouillé d'encre »).

14. Gœthe admira toujours le grand poète grec. Sur ce problème capital de l'attitude des poètes allemands en face de l'Antiquité grecque on consultera les travaux de Rehm, notamment l'ouvrage devenu classique : *Griechentum und Gœthezeit*, le grand travail d'Ernst Grumach : *Gœthe und die Antike* et l'étude de Wolfgang Schadewaldt : « Gœthe und Homer » (in *Trivium* nᵒ 7, 1949, pp. 200-232). Homère est le grand modèle pour la première partie de *Werther*, où il représente la « naïveté » goethéenne et symbolise un idéal de simplicité patriarcale et populaire, par opposition à tout ce qui est réflexion savante et convention arbitraire. Dans la seconde partie Homère sera refoulé par Ossian que, sous l'influence de Herder, Gœthe admirait depuis Strasbourg, mais son admiration pour le poète grec durera toute sa vie et dans les passages « homériques » du révolutionnaire *Werther* on peut déjà voir une des premières manifestations de son évolution ultérieure vers le classicisme.

15. Cette phrase est une des phrases clés de l'œuvre; Werther ne cesse pas de parler de son cœur, cela dès la deuxième ligne du roman; si on veut le considérer comme un « introverti » inapte à la vie extérieure, il faut ajouter que sa vie intérieure est dominée par la sentimentalité et même la sensiblerie du XVIIIᵉ siècle, qui causera sa perte.

16. Il convient d'évoquer ici Rousseau, qui avait déjà proclamé que l'homme naît bon, mais qu'il est corrompu par la civilisation et la société, et qui avait consacré à l'éducation un volume appelé à exercer une grande influence en Allemagne : *Émile* (1762). Dans la première version Gœthe avait ajouté ici une phrase qui comportait un jugement révélateur de son attitude intérieure : « J'ai fait une constatation affligeante » ; elle montre l'importance de la lettre du

15 mai pour qui s'intéresse à *Werther* compris comme roman social.

17. Werther exprime ici une idée qui est un des thèmes essentiels du « Sturm und Drang » : l'homme — et surtout l'artiste — doit réaliser toutes ses possibilités, devenir un Titan (voir notre *Littérature allemande*, P. U. F., Collection : « Que sais-je ? », p. 31).

18. On a pu penser à Henriette de Roussillon, dame de cour auprès de la duchesse de Pfalz-Zweibrücken (Palatinat-Deux-Ponts), qui dans le cercle sentimental de Darmstadt portait le nom d' « Uranie » et mourut en avril 1775. Erich Trunz, qui a spécialement étudié le problème des amitiés spirituelles, montre combien les écrivains de cette époque avaient besoin d'amis susceptibles de les aider à trouver leur voie : « la belle âme » des *Années d'apprentissage* et Makarie des *Années de voyage* jouent auprès de W. Meister un rôle analogue à celui de l'amie de jeunesse auprès de Werther; ce rôle rappelle l'action de Mlle de Klettenberg sur Gœthe à l'époque de Francfort (Édition de Hambourg, VI pp., 562-563 et notre *Gœthe*, Mercure de France, 1949).

19. A cette époque l'enseignement du dessin n'était pas encore organisé dans les écoles d'Allemagne et celui du grec laissait à désirer ; rappelons que dans son enfance Gœthe avait reçu à la maison les leçons de précepteurs.

20. Charles Batteux (1713-1780) était l'auteur du *Cours de belles lettres ou Principes de la littérature* (5 vol. 1747-1750) traduit en allemand par Ramler (4 vol. 1756-1758); à l'époque de *Werther* cet ouvrage faisait autorité.

21. Robert Wood (1716-1771) écrivit *An Essay on the original Genius and Writings of Homer* (Londres 1768) qui, traduit par Michaelis, parut à Francfort en 1773.

22. Roger de Piles (1635-1709) : théoricien de la peinture, dont les travaux paraissaient encore en allemand vers 1760.

23. Joachim Winckelmann (1717-1768) s'était rendu célèbre par ses *Gedanken über die Nachahmung der griechischen Werke* (1755) et sa *Geschichte der Kunst des Altertums* (1764). Il fut à l'origine du culte des Allemands pour l'art grec et Gœthe lui consacra plus tard un livre important pour la compréhension du classicisme allemand (Voir notre *Littérature allemande*, pp. 42 et suiv.).

24. Johann Georg Sulzer (1720-1779), esthéticien, qui avait publié en 1770 la première partie de sa *Allgemeine Theorie der schönen Künste*, jugée sévèrement par le jeune Gœthe.

25. *Christian Gottlob Heyne* (1729-1812), professeur de philologie classique à l'Université de Göttingen, grand interprète des œuvres de l'Antiquité grecque, fut un des introducteurs de l'hellénisme en Allemagne.

26. Werther apprécie peu ces tenants du classicisme et il exposera bientôt ses propres théories esthétiques.

27. C'était Heinrich Adam Buff, né en 1711, père de seize enfants, dont douze vivaient encore ; Charlotte était en réalité la deuxième et, née en 1753, elle avait dix-neuf ans. Mme Buff était morte en 1771.

28. Par exemple Pindare, que Gœthe admirait et lisait depuis son séjour à Strasbourg : « L'homme est le songe d'une ombre » (8e Ode pythique). De même l'épigraphe de *L'ombre de la damoiselle de Gournay* (1825) est la suivante : « L'homme est l'ombre d'un songe et son œuvre est son ombre ». Enfin Calderon a intitulé une de ses œuvres : *La vie est un songe*.

29. Dans l'édition de Hambourg, tome VI, pp. 564-565, Erich Trunz consacre une courte mais suggestive étude au terme de « Einschränkung » qui introduit le thème principal du roman : la limitation. L'être humain ne cesse pas d'aspirer à l'infini et il se heurte aux étroites limites qui bornent le champ de son activité ou de son intelligence; seule, la mort peut le libérer de ses entraves. C'est aussi le thème de *Faust*, auquel Gœthe travaille à la même époque, mais là le héros ne fait que saisir la fiole pleine du poison mortel ; à l'instant même où il va le boire, il est sauvé par les cloches qui annoncent la résurrection du Christ, et le second *Faust* nous montrera l'homme sauvé par l'action créatrice (voir notre *Gœthe*, pp. 69-73, 241-243, 334-346). On peut dire que toute sa vie Gœthe fut hanté par l'existence de ces pôles que constituent pour l'homme et pour l'artiste l'aspiration à l'infini et la limitation dans le fini, le désir de l'expansion et la nécessité du renoncement dans la liberté; à la « Einschränkung » (limitation) de « Werther » répondra la « Entsagung » (renoncement) de Wilhelm Meister dans *Les années de voyage*. Il convient d'ailleurs de signaler avec Trunz que déjà dans *Werther* Gœthe place en face de son héros insatisfait Charlotte, qui incarne la synthèse heureuse de l'aspiration à l'infini et de la limitation librement acceptée.

30. Toute l'époque a rêvé de liberté ; ici Werther envisage déjà, quoique d'une manière abstraite, le suicide. C'est la conception des stoïciens et en particulier celle d'Épictète.

31. L'expression « ein Hüttchen aufschlagen » — pour laquelle on pourrait penser à la traduction « planter ma tente » — introduit en fait le thème opposé à celui de la lettre du 22 mai, car elle implique le consentement à la limitation. Le terme « Hüttchen », fréquemment employé à l'époque de la sentimentalité, évoquait l'idylle amoureuse et paisible dans un coin de nature, un peu comme notre expression familière « une chaumière et un cœur »; mais il prend ici et dans des poésies contemporaines telles que *Wandrers Sturmlied* (1772) et *Der Wandrer* (1772) une valeur particulière, car le « motif du voyageur » éclate fréquemment dans le roman, en particulier. Pour Gœthe qui, au printemps de 1772, compose son *Chant d'orage*, la « hutte » est l'abri qui l'attend sur la colline ; pour *Le voyageur*, elle est également sur une colline, la demeure de la jeune mère qu'il a rencontrée, allaitant son bébé; elle est « le lieu protecteur » (Schutzort) où, au retour de ses pérégrinations « par-dessus les tombes d'un passé sacré » il aimerait trouver un repos familial. (Voir ces poèmes dans l'édition de Hambourg, t. I, pp. 33-36 et 37-42). Dans le refuge de Wahlheim, Werther se sent à l'abri et il y trouverait le bonheur, s'il était accueilli par une femme aimée portant son enfant dans ses bras; mais la petite cabane ne peut lui offrir qu'une halte avant ses voyages, dont le terme sera la tombe ; toutefois elle fournira plus tard à Gœthe le thème central de *Hermann et Dorothée* et de *Saint Joseph II* dans *Les années de voyage de Wilhelm Meister*.

32. En fait, ce village, situé à une demi-lieue de Wetzlar, s'appelait Garbenheim et la bonne aubergiste, qui devait mourir en 1782 à 85 ans, Katharina Koch. Si Gœthe a forgé le nom significatif de « pays d'élection » il a conservé maints détails empruntés à la réalité.

33. Nous avons là un des plus célèbres manifestes littéraires du « Sturm und Drang ». Sur ce culte de la nature et sur l'évolution qui devait conduire Gœthe du réalisme au classicisme, puis au symbolisme, on pourra consulter notre *Gœthe*, pp. 39 sq., pp. 236 sq. et pp. 301 sq.

34. Doctrine de vie et doctrine d'art vont de pair. Voir sur ce point notre *Littérature allemande*, pp. 48 sq.

35. Dans cette lettre à la gloire du génie original on retrouve l'influence de Young qui, dans ses *Conjectures on original composition* (1759), repoussait les règles comme des béquilles embarrassantes. Cf. Schiller (*Die Räuber*, I, 2) : « Das Gesetz hat zum Schneckengang verdorben, was Adlerflug geworden wäre. Das Gesetz hat noch keinen grossen Mann gebildet, aber die Freiheit brütet Kolosse und Extremitäten aus » (La loi n'a pas encore formé un seul grand homme, mais la liberté fait éclore des colosses et des êtres extrêmes).

36. La jeune femme est empruntée, elle aussi, à la réalité, à cette nature dont Werther se réclame. Elle s'appelait Eva-Justine-Henriette Bamberger, était bien la fille de l'instituteur de Garbenheim et avait trois petits enfants, qui s'attachèrent à Gœthe. Elle mourut en 1834, toujours fière d'avoir figuré dans *Werther*.

37. Le kreuzer est une petite pièce de monnaie en cuivre qui portait une croix ; frappée d'abord à Mérano, sur le Haut Adige, en 1271 elle se répandit en Autriche, en Suisse et en Allemagne ; elle valait quelques centimes.

38. Cette lettre ne figurait pas dans la première édition. Elle est importante à plus d'un point de vue : elle confirme pour la poésie la théorie esthétique précédemment émise pour la peinture et surtout elle introduit l'épisode du valet, qui apparaît comme un double de Werther : c'est un roman dans le roman; il fait partie de l'action extérieure et provoquera plus tard une accélération de l'action intérieure. Cet épisode a-t-il été emprunté à un fait divers réel ou reflète-t-il les rapports de Gœthe et de Mme de Stein ? Nous ne pourrions l'affirmer.

39. En fait Gœthe n'avait pas dessiné la charrue, puisqu'il s'était assis dessus (voir lettre du 26 mai).

40. Charlotte n'avait pas huit, mais onze frères et sœurs, qui s'appelaient Caroline (21 ans), Hélène (16 ans), Hans (15 ans), Wilhelm (13 ans), Sophie (12 ans), Fritz (10 ans), Georges (8 ans), Amélie (7 ans), Albrecht (6 ans), Ernst (4 ans) et Ludwig (3 ans). Hans était le favori de Gœthe ; Hélène était alors absente de Wetzlar.

41. Ce bal, sur lequel nous possédons une relation fidèle de Kestner, eut lieu à Volpertshausen, le 9 juin 1772 ; il rassembla vingt-cinq personnes, parmi lesquelles Gœthe et Jérusalem ; dans son « Journal quotidien » Kestner nomme les douze «chapeaux» et les treize «dames.»

42. Gœthe a emprunté les éléments de son récit à la réalité mais il n'a pas hésité à les modifier ; c'est ainsi qu'il se rendit au bal avec sa grand-tante, qui l'avait probablement organisé, et avec ses filles ; ils allèrent prendre Lotte à la Maison teutonique et non à la maison forestière.

43. Encore un détail précis et exact : il s'agit d'Amélie (Ammel) âgée de sept ans et que son frère Hans qualifiait comme Werther de « naseweis ».

44. Héroïne d'un de ces romans sentimentaux qui étaient alors à la mode ; il s'agit sans doute de l'*Histoire de Miss Jenny Glanville*, par Marie-Jeanne Riccoboni, qui parut dans une traduction allemande de Gellius en 1764. Buriot-Darsiles pense à la *Geschichte der Miss Fanni Wilckes*, par Hermes (1766).

45. *The Vicar of Wakefield* (1766) l'œuvre célèbre d'Oliver Goldsmith pénétra très vite en Allemagne et enthousiasma le public. A

Strasbourg, Herder la fit connaître à Gœthe, qui devait en parler longuement dans *Dichtung und Wahrheit* et la mettre à profit dans l'évocation de son idylle avec Frédérique Brion. Lotte pouvait voir en elle un reflet de son propre milieu et Gœthe un de ces épisodes réalistes et naïfs qu'il se plaisait à insérer dans *Werther*, mais ici le drame se superpose à l'idylle.

46. Trunz pense aux premiers romans allemands que l'on accueillit avec fierté ; *Agathon*, par Wieland (1766-1767), *Sophiens Reise*, par Hermes (1769-1773), *Geschichte des Fräuleins von Sternheim*, par Sophie de La Roche (1771).

47. Rappelons que Charlotte avait les yeux bleus, mais que Gœthe lui a prêté les yeux noirs de Maximilienne de La Roche.

48. Un bal champêtre comprenait alors trois sortes de danses : 1° l'ancien *menuet* français, qui se dansait par couples et que l'on ne devait pas prolonger, d'où le reproche adressé plus haut par Werther à ses danseuses; 2° la *contredanse* anglaise, répétée trois fois, qui était alors en pleine vogue; 3° la *valse* allemande, danse nouvelle, alors à ses débuts; de la part de Charlotte il y a une certaine hardiesse à reconnaître son goût pour une danse moderne, qu'elle substitue à la troisième contredanse. Dans la *Geschichte des Fräuleins von Sternheim* la jeune fille aime la danse et le grand seigneur-séducteur profite d'une valse pour l'enlacer. On comprend donc mieux le passage où Werther un peu plus loin déclare que, s'il avait des droits sur une femme, il ne lui permettrait pas de valser avec un autre que lui.

49. Dans la première version il s'agit de citrons, que Werther avait subtilisés (weggestohlen) au moment où on préparait le punch ; Gœthe a supprimé ce trait peu flatteur.

50. Seuls les bourgeois dansaient encore trois contredanses et faisaient la grande chaîne à huit (une reprise de huit mesures, une de seize et une de huit).

51. Il est exact qu'Albert et Lotte n'étaient pas encore « fiancés », du moins officiellement. On conçoit donc que Werther ait pu espérer.

52. Albert a protesté contre ce détail qu'il déclare inexact; selon lui Lotte avait trop de délicatesse féminine pour distribuer des gifles, sauf peut-être à ses jeunes frères et sœurs.

53. Klopstock (1724-1803) était le Dieu de la nouvelle génération, en particulier de Gœthe; par l'emploi de certains rythmes et par l'introduction de sentiments nouveaux il prépara la voie à Gœthe et au lyrisme allemand moderne, dont il fut en quelque sorte le précurseur.

54. « Die Frühlingsfeier », composée en 1759 et dans laquelle on trouve déjà bien des motifs et thèmes de *Werther*. Il y est question en termes pathétiques d'un orage et des sentiments religieux qu'il provoque dans l'âme du spectateur. On pourra en trouver le texte dans notre anthologie : *Les plus beaux poèmes allemands* (P. U. F., 1964, pp. 37-40).

55. On découvre ici l'accord immédiat des âmes de Lotte et de Werther; on a l'impression d'une « harmonie préétablie » et l'on conçoit que le héros, qui n'oubliera jamais cet instant et l'évoquera plus tard, ait pu voir dans la jeune fille l'amante prédestinée. Erich Trunz a pleinement raison quand il indique avec finesse que l'accord s'établit sur trois plans différents : avec Goldsmith (idylle champêtre), Klopstock (lyrisme religieux) et, dans la deuxième partie, avec Ossian (déchaînement romantique) et, également que Charlotte ne suit pas Werther dans la sphère d'Homère (Édition de Hambourg, t. VI, pp. 565-567).

56. Dans la première version il la quitte en lui assurant qu'il reviendra la voir le même jour. Ici encore Gœthe a voulu affiner son héros. — Contradiction : Werther s'est couché à deux heures, après avoir admiré avec Charlotte un magnifique lever de soleil.

57. Toute cette lettre est essentielle pour comprendre la « Weltanschauung » de Gœthe, qui n'a pas cessé de se demander à quoi l'homme est destiné. Les héros qu'il crée à cette époque, Werther, W. Meister, Faust peuvent dire comme ce dernier : « Deux âmes, hélas ! habitent dans ma poitrine », deux âmes qui dans leurs désirs opposés de s'élever vers le ciel ou de se cramponner à la terre, tendent à se séparer, à s'éloigner l'une de l'autre. W. Meister et Faust seront sauvés, comme Gœthe, mais Werther succombe.

58. Cf. *Odyssée* (XX). Dans la dernière partie de cette lettre nous sommes sur le plan de la « naïveté » grecque et, en compagnie de « son » Homère, Werther se sent heureux, comme Gœthe, lorsqu'il aidait Charlotte à des besognes ménagères, par exemple à éplucher aussi des pois gourmands.

59. Encore une scène vécue par Gœthe à Wetzlar.

60. Paroles du Christ : voir Évangile selon saint Matthieu, XVIII, 3 (Bible de Jérusalem, p. 1313).

61. Cette lettre reflète les préoccupations pédagogiques du xviiie siècle et l'influence de Rousseau.

62. Le point de départ des lettres consacrées à Charlotte garde-malade est sans doute un séjour qu'elle fit au début d'août 1772 chez son amie Mme Rhadius pour la soigner, mais le contenu en fut imaginé par Gœthe.

63. On a supposé que c'était dans la réalité le village de Reiskirchen. Mais Beutler voit dans cette lettre un des éléments du « décor » francfortois : il s'agissait du presbytère de Saint-Pierre construit en 1766, dans la « Friedbergergasse », tout près de la maison du grand-père de Gœthe (*Gœthe*, revue de la Société Gœthe 1940, I, p. 145).

64. Ici apparaît ce qu'on peut appeler le thème des noyers ; l'abattage de ces arbres aura pour Werther la valeur d'un avertissement symbolique.

65. Sans doute un souvenir de Frédérique Brion et peut-être un hommage.

66. Jean-Gaspard Lavater (1741-1801) pasteur suisse, devait se rendre célèbre par ses travaux sur la « physiognomonie » (1775-1778) ; Gœthe fut en relations avec lui dès 1772 et en 1773 il rendit compte dans les « Frankfurter Gelehrte Anzeigen » de ses *Predigten über das Buch Jonas*. Werther fait allusion au sermon sur le mécontentement et la mauvaise humeur. On peut consulter l'étude de Guinaudeau : « Les rapports de Gœthe et de Lavater » (in *Études Germaniques* 1949, n° 4, pp. 213-226).

67. Gœthe pense peut-être à sa conduite envers son amie de Leipzig, Catherine Schönkopf, qu'il avait fait souffrir par son « injuste jalousie » (voir *Dichtung und Wahrheit*, II, 7) et à son attitude envers Frédérique Brion, qui dut supporter parfois sa mauvaise humeur.

68. On a émis l'hypothèse que Gœthe aurait emprunté le nom de Marianne à la fille aînée de la famille Brandt, qui habitait auprès de la famille Buff ; elle s'appelait Marie-Anna et c'est sans doute chez elle que Werther voyait parfois Charlotte (début de la lettre du 11 juillet). Quant à Mélie, c'est la petite sœur de Charlotte.

69. Cf. in *la Nouvelle Héloïse*, 2e Partie, le début de la « Lettre XVI

à Julie : « Que les passions impétueuses rendent les hommes enfants ! » (Éd. Garnier, 1960, p. 216).

70. Ici apparaît le nom d'Ossian, qui jouera un rôle si important dans la deuxième partie. On sait que le poète Macpherson publia en les attribuant au barde Ossian des « poèmes traduits du gaëlique » (1760) puis *Fingal* (1762) et *Temora* (1763). Cette poésie sentimentale et mélancolique eut un énorme succès.

71. Voir *Livre des Rois*, I, 17, 14-16 : « La cruche d'huile ne se vida pas, selon la parole que Iahvé avait dite par le ministère d'Élie. » (Bible de Jérusalem, p. 36).

72. On peut trouver dans la première lettre de *la Nouvelle Héloïse* (Éditions Garnier, 1960, p. 7) un passage analogue sur « des familiarités cruelles ».

73. On trouve ici l'écho des légendes d'Orphée et d'Amphion, la croyance à la puissance magique du chant et de la musique.

74. Ancien nom du « spath pesant », dont Gœthe parlera dans son *Voyage en Italie* (Voir dans l'édition de Hambourg, t. XI, p. 110, 5-9.)

75. Johann Jakob von Höfler, envoyé de Brunswick auprès de la Cour suprême, sous les ordres duquel travaillait Jérusalem.

76. On peut supposer que c'est une allusion, peu bienveillante, au commerce de l'épicier Brentano.

77. Ce genre de portrait, qui connut à cette époque une telle vogue, doit son nom au financier Silhouette (1709-1767). La silhouette de Lotte que possédait Gœthe n'avait pas été faite par lui.

78. Ce court billet, fort inutile, ne figurait pas dans la première version; on voit mal pourquoi Gœthe l'ajouta et Buriot-Darsiles se demande si la fin ne contient pas un détail emprunté aux relations de Gœthe avec une autre Charlotte, Mme de Stein. (Voir édition bilingue publiée aux Éditions Aubier.)

79. Cette légende, qui apparaît pour la première fois dans *les Mille et Une Nuits*, rapporte une des aventures de Sindbad le marin.

80. Ce post-scriptum fut ajouté dans la deuxième version.

81. Idée chère à Gœthe, pour qui le cœur est tout.

82. On a le sentiment que le motif des pistolets apparaît pour préparer le grand thème du suicide; c'est effectivement en vue d'un voyage que Werther empruntera les pistolets d'Albert.

83. En latin dans le texte : *pro forma.*

84. La tige qui servait à charger le pistolet ou à le nettoyer.

85. Ce récit fut sans doute inspiré à Gœthe par un fait divers, comme la tragédie de Marguerite dans le premier *Faust.*

86. Cf. Évangile selon saint Luc, X, 32 et XVIII, 11 (Bible de Jérusalem, pp. 1368 et 1378.)

87. Cette discussion sur le suicide rappelle celle de Saint-Preux et de mylord Edouard dans *la Nouvelle Héloïse* (III, 21 et 22); on y trouve la phrase suivante : « Pourquoi serait-il permis de se guérir de la goutte et non de la vie ? » (Éd. Garnier, 1960, p. 363.)

88. L'expression « Krankheit zum Tode » provient de l'Évangile selon saint Jean, XI, 4 (Bible de Jérusalem, p. 1415). E. Beutler, le grand spécialiste de Gœthe, a émis l'hypothèse que ce passage de *Werther* avait inspiré à Kierkegaard le titre d'une de ses œuvres, mais Rehm pense que Kierkegaard l'a emprunté directement à la Bible (Édition de Hambourg, p. 569).

89. Selon Beutler il s'agit d'Anna Elisabeth Stöber, née en 1745, qui se noya dans le Main en 1769; Gœthe connut certainement ce suicide par les rapports de son père, de même qu'il a pu lire l'histoire de l'infanticide Suzanna Margaretha Brandt, qui lui a servi de modèle pour la Gretchen de *Faust* (voir notre *Gœthe* 1940, I, pp. 140).

90. Allusion à la princesse emprisonnée et nourrie par des mains qui sortaient du plafond.

91. Cette lettre est une de celles qui fournirent au romantisme européen le plus d'idées force.

92. Ce passage mérite d'être comparé à une des grandes tirades de Faust dans la scène intitulée « Vor dem Tor ». On trouvera des pages analogues dans le *René* de Chateaubriand, notamment celle-ci : « Je sentais que je n'étais moi-même qu'un voyageur; mais une voix du ciel semblait me dire : « Homme; la saison de ta migration n'est pas « encore venue ; attends que le vent de la mort se lève, alors tu déploie- « ras ton vol vers ces régions inconnues que ton cœur demande. » Levez-vous vite, orages désirés, qui devez emporter René dans les espaces d'une autre vie » (*Atala. René. Les Aventures du dernier Abencérage.* Éd. Garnier, 1958, pp. 213-214).

93. Dans son enfance, alors qu'il avait six ans, Gœthe avait été profondément bouleversé par le tremblement de terre de Lisbonne.

94. Cf. les strophes célèbres de Vigny dans *La maison du berger*, en particulier le vers mis dans la bouche de la Nature elle-même : « On me dit une mère et je suis une tombe. »

95. Buriot-Darsiles nous signale qu'on la trouve déjà chez Stési-chore, puis chez Horace, Phèdre et La Fontaine, IV, 13.

96. Werther est né, comme Gœthe, le 28 août.

97. Gœthe reçut bien de Charlotte ce ruban rose, mais alors qu'il était à Francfort, en octobre 1772.

98. Édition d'Homère par Lederlin et Bergler parue en 1707 chez Wetstein, à Amsterdam.

99. Édition en cinq volumes publiée par le philologue et théologien Ernesti à Leipzig de 1759 à 1764. Ces deux éditions contenaient à la fois le texte grec et sa traduction en latin.

100. Cf. dans *la Nouvelle Héloïse* (I, 26) : « Dans les violents trans-ports qui m'agitent, je ne saurais demeurer en place; je cours, je monte avec ardeur, je m'élance sur les rochers, je parcours à grands pas tous les environs... » (Éd. Garnier, 1960, p. 64).

101. Cf. dans l'Évangile selon saint Matthieu, III, 4 : « Ce Jean avait un manteau de poils de chameau et un pagne de peau autour des reins. » (Bible de Jérusalem, p. 1292.)

102. C'est également dans la nuit du 10 septembre 1772 que Gœthe écrivit sa lettre d'adieu à Kestner et Lotte.

103. Cette scène, qui termine la première partie, s'est en réalité passée à la Maison de l'Ordre Teutonique, mais Gœthe l'a transportée dans le jardin de la Meckelsburg.

104. Au XVIIIe siècle le mot « romantisch » signifiait « romanesque »; Gœthe l'emploie ici dans le sens de « pittoresque ».

105. Dans une lettre qui n'a pas été retrouvée et ne fut sans doute jamais écrite.

106. Comme dans un drame il y a un changement de décor; même si Gœthe s'est encore inspiré de Wetzlar, il en a retiré tout ce qui faisait son charme; c'est Wetzlar sans Lotte et sans Wahlheim.

107. Rappelons que l'ambassadeur est J.-J. von Höfler. Jérusalem travaillait sous ses ordres.

108. Ce comte, dont Werther parle avec sympathie, n'était autre que Johan Maria Rudolph, Graf Waldbott von und zu Bassenheim, un des deux présidents de la Cour suprême.

109. Cette phrase est caractéristique pour l'attitude de Werther qui, engagé dans une activité pratique, n'en parle pas, mais s'en prend à l'ambassadeur, cause de ses déboires. Celui-ci symbolise la noblesse, objet de mépris pour le héros, qui admire et aime les gens du peuple. Mais il serait faux de considérer Werther comme un révolutionnaire désireux de détruire l'ordre social, puisque dans la même lettre il reconnaîtra « à quel point la différence des classes est nécessaire ». Trunz remarque également que l'opposition de l'ambassadeur débute par une querelle de style (Édition de Hambourg, t. VI, p. 570).

110. L' « inversion » caractérise le style des « Stürmer-und-Dränger », par opposition à celui des rationalistes. C'est Herder qui l'a recommandée dans ses *Fragmente über die neuere deutsche Literatur*, I. Sammlung, 12. Abhandlung (1767). Gœthe les a lus très attentivement à Wetzlar même et en juillet 1772 il écrivit à Herder pour lui dire son enthousiasme, notamment en ce qui concerne l'expression de la pensée et du sentiment.

111. Dans la première version Gœthe avait ajouté : « Je l'aurais volontiers bâtonné, car avec ces gaillards il n'y a pas à raisonner, mais, comme cela ne se pouvait pas... » Ici encore il a atténué les réactions trop violentes de Werther.

112. On a voulu voir dans cette aimable demoiselle de B. diverses personnes : Luise von Ziegler, Maximilienne de La Roche, une demoiselle de Wetzlar qui aurait eu pour Jérusalem un sentiment assez tendre, Anna Hedwig von Vollmann; mais une identification indiscutable n'est pas possible.

113. Les âges de l'humanité, que l'on trouve chez Ovide, étaient familiers aux poètes du XVIIIe siècle.

114. C'était le comte de Bassenheim qui organisait des parties de traîneau ; il est exact qu'elles donnaient souvent lieu à des querelles de préséance.

115. Gœthe a en somme dédoublé Wetzlar, que Jérusalem appelait « Seccopolis » (de l'italien *seccare* = embêter); pour lui, il y avait ce qu'on pourrait appeler « le côté Charlotte » et « le côté Cour »; Wetzlar sans Charlotte n'était plus que « le morne trou de D. ». (Cf. note 106).

116. Cette expression : « Fülle des Herzens », qui est si caractéristique pour *Werther*, devait inspirer à Friedrich Leopold Stolberg son dithyrambe en prose : *Von der Fülle des Herzens* (1777); il la célèbre comme le plus humain et le plus divin de tous les dons, comme une force intérieure qui se manifeste dans toute l'attitude de l'âme en face du monde extérieur.

117. L'expression « Raritätenkasten » désigne ces kaléidoscopes (Guckkasten) que l'on montrait dans les foires au XVIIIe siècle. Gœthe l'employa souvent, en général pour désigner une série d'images qui ne sont pas présentées dans un ordre systématique et rationnel.

118. Ce passage depuis « le soir, je me propose *jusqu'à*... a fui » est une addition de la deuxième version.

119. La traduction littérale serait : « elle a beaucoup d'âme » (Sie hat viel Seele). La richesse d'âme est une qualité essentielle de Mlle de B. comme de Charlotte et, aux yeux de Gœthe, de la femme en

général; c'est elle qui permet à Iphigénie de jouer en Tauride son rôle rédempteur. (Voir notre *Gœthe*, p. 151.)

120. Cette lettre ne figurait pas dans la première version.

121. Détail emprunté au récit de la mort de Jérusalem adressé par Kestner à Gœthe; à plusieurs reprises l'ambassadeur avait demandé son rappel.

122. C'est dans des termes analogues que Gœthe, entre le 4 et le 9 avril 1773, répondit à la lettre par laquelle Kestner lui annonçait son mariage avec Lotte.

123. On a voulu identifier ce colonel B. comme aussi tous les personnages qui vont être nommés dans la suite; cela nous paraît inutile.

124. En français dans le texte.

125. Il s'agit du couronnement de François, empereur d'Allemagne, à Francfort, en 1745. Rappelons que dans *Dichtung und Wahrheit*, livre V, Gœthe devait célébrer le couronnement de Joseph II, en 1764.

126. Le porcher Eumée (Cf. *Odyssée*, livre XV). A la sécheresse de cœur des aristocrates Werther oppose la générosité des hommes du peuple, dont Rousseau célébrait aussi les vertus (Cf. *Nouvelle Héloïse*, I, 23). Trunz apporte ici une remarque intéressante : bien que Werther lise Homère dans le texte grec, comme Gœthe le fit toute sa vie, il désigne les personnages par leurs noms latins; c'est seulement dans la période suivante et en partie grâce à la traduction de Voss que les termes grecs s'acclimatèrent en Allemagne (Édit., de Hambourg, t. VI, p. 572).

127. Sans doute une allusion à diverses velléités de suicide, dont Gœthe a parfois parlé avec une certaine complaisance.

128. Ce « pèlerinage au pays natal » se justifie pour diverses raisons : 1) il contribue à retarder le retour de Werther auprès de Charlotte et constitue un « retardierendes Moment », comme Gœthe et Schiller, plus tard, en réclameront pour l'œuvre « épique »; 2) il nous renseigne sur ce qu'on pourrait appeler la « préhistoire » du roman, sur la jeunesse de Werther et sur ses parents; 3) il nous montre à quel point le héros, qui n'a plus de père et vit loin de sa mère, est libre, ce qui dans une certaine mesure explique son suicide et le rend plus acceptable; 4) il rend plus sensible encore l'atmosphère de l'époque, où des termes comme « Wallfahrt » et « Pilgrim », empruntés au vocabulaire religieux, étaient très à la mode. Werther est à la fois un représentant de son temps et un isolé qui ne trouve aucun soutien.

129. Cette phrase, qui a peut-être été inspirée par Ossian *(Chants de Selma)*, fut ajoutée dans la deuxième version; elle reprend le leitmotiv du suicide.

130. Ce passage depuis « Il y a autour de lui... » ne figurait pas dans la première version. Gœthe l'a-t-il ajouté en pensant à la cour de Weimar ?

131. Phrase-clé du roman (voir lettre du 13 mai). On notera que Werther exalte chez lui « le cœur », chez Charlotte et Mlle de B. « l'âme »; Gœthe introduit ainsi une distinction subtile entre la psychologie masculine et la psychologie féminine; on notera aussi que « l'esprit » ou la « raison » est loin d'avoir la même importance.

132. Addition importante de 1786. Les termes de « voyageur » et de « pèlerin » étaient à la mode, peut-être sous l'influence d'Ossian.

Le jeune Gœthe s'est très souvent représenté en « Wanderer ». Cf. les poèmes : *Der Wanderer, Wanderers Nachtlied,* etc.

133. Rappelons que Gœthe avait pareillement fui Charlotte et était revenu de même à Wetzlar en novembre 1772.

134. Cette lettre fut ajoutée dans la nouvelle édition, ainsi que tout ce qui concerne l'épisode du valet de ferme.

135. Cette lettre est une adjonction de 1786.

136. C'était le costume de Jérusalem, qui grâce à Gœthe allait devenir le célèbre « costume à la Werther ».

137. Cette lettre si mièvre fut ajoutée en 1786; elle relate un épisode des relations de Gœthe et de Mme de Stein.

138. Le ton de cette lettre était beaucoup plus violent dans la première version. Elle commençait en effet ainsi : « On voudrait se donner au diable, Wilhelm, quand on voit tous les chiens que Dieu tolère sur la terre... » Plus loin la femme n'était pas « une créature maigre et maladive » mais « un chien maigre et maladif »; Gœthe ne l'appelait pas « une toquée », mais « une caricature » (eine Fratze).

139. Selon Beutler, le « modèle » fut Johanna Dorothea Griesbach (1726-1775), dont le fils était encore pasteur à Saint-Pierre en 1773 (*Gœthe*, 1940, I, pp. 146-147) Gœthe parle d'elle au huitième livre de *Poésie et Vérité* en liaison avec le cercle de Mlle de Klettenberg, auquel elle appartenait.

140. On appelait « Canon » l'ensemble des textes bibliques reconnus par l'Église comme authentiques, par opposition aux textes apocryphes. Alors qu'au Moyen Age on y admettait aussi ces derniers, des théologiens du XVIIIe siècle démontrèrent qu'ils appartenaient à une période postérieure et reflétaient la civilisation de l'Orient ancien. En outre, ils avaient soumis le Canon lui-même à l'épreuve des méthodes philologiques. Gœthe était peu favorable à ces recherches historiques, qui risquaient de détruire le sentiment religieux, et il se sentait plus proche de la religiosité sentimentale d'un Lavater, de cette « religion du cœur » qu'on trouvera bientôt chez Hemsterhuys et chez les romantiques.

141. L'Anglais Kennicot (1718-1783) ouvrit la voie à la critique des textes bibliques; il publia de 1776 à 1780 une grande édition de l'*Ancien Testament*.

142. Semler (1725-1791), professeur de théologie à Halle, était connu surtout par sa *Abhandlung von der freien Untersuchung des Kanons*, qui commença à paraître en 1771.

143. Michaelis (1717-1791), professeur de langues orientales à Halle, publia une traduction de l'*Ancien Testament* avec commentaires (13 volumes parus de 1769 à 1786).

144. Ce membre de phrase depuis : « car elle avait encore... » n'existait pas dans la première version. Buriot-Darsiles loue G. Riess d'avoir interprété comme suit cette adjonction de 1786 : Gœthe est devenu ministre et il éprouve le besoin de motiver juridiquement la décision de la Chambre des Domaines.

145. Nous voyons ici une nouvelle pointe à l'adresse du « pouvoir », mais nous sommes surpris que Gœthe ne l'ait pas fait disparaître dans la deuxième édition; il est vrai que, en sa qualité de ministre du duc de Saxe-Weimar, il avait exploité des forêts et donc fait abattre des arbres.

146. Rappelons que c'est une des phrases essentielles du livre; elle

montre l'évolution qui du monde apollinien conduit le héros dans le monde dionysien, domaine de la mort.

147. Ossian, fils de Fingal.

148. Souvent chantée par Ossian. Cf. Musset : « Pâle étoile du soir... » (*Le Saule*).

149. Avant la lecture des textes d'Ossian nous avons ici comme un prélude musical avec les thèmes du voyageur et de la mort. Sur Ossian et son influence en Allemagne on pourra consulter la *Hamburger Ausgabe*, pp. 575-577.

150. Addition de 1786. On ne peut s'empêcher de penser au célèbre vers de Lamartine : « Un seul être vous manque et tout est dépeuplé. »

151. Au cours de cette lettre Werther, dont le cœur est mort, connaît la « sécheresse » qui frappe les mystiques, lorsque Dieu s'est éloigné d'eux; elle est l'inverse de l'extase évoquée dans sa lettre du 12 mai 1771.

152. Cf. dans *Faust* (vers 138) la question que pose au héros l'Esprit de la terre : « Où est ce cœur (Brust), qui créait en lui un monde ? »

153. Expression religieuse. Cf. « Le ciel est d'airain sur sa tête », Bossuet (*Sur la passion*);
« Élie aux éléments parlant en souverain
Les cieux par lui formés et devenus d'airain », Racine (*Athalie*, I, 1).

154. Julie adresse à Saint-Preu un reproche analogue dans *la Nouvelle Héloïse* (l. L) ; de même Odile à Edouard dans les *Affinités électives* (Éd. Aubier-Flammarion, t. 1, p. 277).

155. Cf. Évangile selon saint Jean, VI, 44 « Nul ne peut venir à moi, si le Père qui m'a envoyé ne l'attire » (Bible de Jérusalem, p. 1406).

156. Buriot-Darsiles approuve Loiseau, qui se demande « ce que signifie ce dualisme, cette subtile distinction entre cette religion du « Père et celle du Fils ». Or, cette distinction est familière à l'époque contemporaine et R. Kassner n'hésita pas à déclarer que la religion de Rilke était celle du Père, non celle du Fils (voir notre *Rilke*, Éd. du Mercure de France, 1952).

157. Évangile selon saint Matthieu, 26, 39 : « Mon Père, si cela est possible que cette coupe passe loin de moi » (Bible de Jérusalem, p. 1326).

158. In Évangile selon saint Matthieu, 27, 46 : « Mon Dieu! Mon Dieu! pourquoi m'as-tu abandonné ? » (Bible de Jérusalem, p. 1328).

159. Image inspirée de la Bible (voir *Psaume* 104 et *Isaïe* XL, 22) : « Drapé de lumière comme d'un manteau, tu déploies les cieux comme une tente » (Bible de Jérusalem, pp. 754 et 1027).

160. « Adieu » en français dans le texte.

161. Lettre ajoutée en 1786.

162. Addition de 1786. Le poète des temps anciens est sans doute Ossian.

163. Les États généraux des Pays-Bas, dont le gouvernement passait pour très riche.

164. C'est la mélodie dont Werther parla dans sa lettre du 16 juillet 1771 (p. 77). Trunz souligne avec finesse l'importance de la liaison amour-mélodie et il rapproche de ce passage le poème « A Werther », inspiré par la musique de la pianiste Szymanowska (voir p. 38).

165. Dans la première version cette lettre était suivie de deux lettres datées du 8 et du 17 décembre; celles-ci figurent toujours dans la deuxième version, mais elles sont incorporées au « récit » de l'éditeur et portent la date du 12 et du 14 décembre. Le texte initial se terminait donc tragiquement sur ces mots : « Mir wärs besser, ich ginge. » (« Pour moi il vaudrait mieux partir ») et il n'en avait que plus de force.

166. Cette dernière partie est celle que Gœthe a le plus modifiée dans la version de 1786, spécialement au début; il s'est efforcé en particulier de supprimer tout ce qui avait pu choquer Kestner en jetant un faux jour sur l'attitude de Lotte.

167. Albert et Charlotte se considéraient depuis longtemps comme fiancés.

168. Tout ce qui concerne le valet fut naturellement ajouté en 1786; la première adjonction importante va de « Pris d'un malaise... à ... avait pris le parti de nier ». Le dernier paragraphe qui débute par « Sa confusion intérieure... » est également une adjonction de 1786.

169. Une comparaison s'impose avec Faust, qui au moment de boire le breuvage de mort, s'écrie :
« Trouve l'audace d'ouvrir avec force ces portes
Devant lesquelles chacun se plaît à passer furtivement!
Voici venue l'heure de prouver par des actes
Que la dignité de l'homme ne le cède en rien à la grandeur des Dieux,
De ne pas trembler devant cette sombre caverne
Dans laquelle l'imagination se condamne elle-même à son propre
(tourment,
De tendre vers ce passage étroit
A l'ouverture duquel flamboie l'enfer tout entier,
De se résoudre à ce pas avec sérénité
Et, au risque de sombrer, de s'écouler dans le Néant » (*Faust*, 357-366).

170. Ce dernier paragraphe fut ajouté en 1786.

171. Ce paragraphe et celui qui le suit furent ajoutés en 1786.

172. En 1772, la veille de Noël était effectivement un jeudi.

173. Le 21 décembre 1772 était bien un lundi.

174. Nous empruntons à Erich Trunz les renseignements principaux contenus dans l'étude dont il a enrichi la « Hamburger Ausgabe ». Ce passage est extrait du poème *Songs of Selma*, que Gœthe avait traduit pendant son séjour à Strasbourg ou peu de temps après; dans l'automne de 1771 il avait recopié sa traduction pour l'offrir à Frédérique Brion et cette copie figure dans la collection Kippenberg. Il reprit cette traduction en 1774, non pas pour l'amour d'Ossian, mais parce que ce texte devait jouer un rôle dans l'histoire tragique de son héros; il la remania et, avec le génie lyrique qui était alors le sien, il l'éleva bien au-dessus du texte allemand de 1771 et même au-dessus du texte anglais.
On trouve chez Ossian d'abord le culte de la Nature, ensuite les histoires des héros légendaires, que les bardes chantaient et transmettaient de proche en proche. C'est ainsi qu'Ossian, le vieux chanteur, après avoir célébré l'étoile du soir, dit le destin des amis morts, tel qu'il l'entendit jadis lors d'une rencontre dans le palais de son père Fingal, à Selma. On trouve là trois chants semblables à des ballades : le premier est celui de Minona : il annonce les lamentations de Colma, qui dira elle-même sa détresse; le centre est donc une plainte personnelle exprimée avec tout le sentimentalisme de l'époque, un

destin tragique dans un paysage de nuit, de vent et de lune. Ensuite,
Ossian évoquera la joute oratoire de Ryno et Alpin qui déploraient
la mort de Morar, et c'est de nouveau un chant funèbre; il conduit
Armin à dire le destin tragique de ses enfants, celui de la belle Daura,
morte d'amour comme son bien-aimé Armar.

Erich Trunz indique les multiples fonctions que doit jouer dans
le roman le texte d'Ossian : il caractérise Werther, il le rapproche
de Lotte, il montre le côté tragique de leur situation, il retarde la
catastrophe tout en la faisant pressentir, il clôt l'épisode de l'amour
malheureux sur un thème poétique (Ossian), comme il l'avait ouvert
sur le nom de Klopstock.

175. Ce passage poétique n'est pas extrait des *Chants de Selma de
Berrathon*.

176. Il nous a paru nécessaire d'adopter cette traduction peut-être
trop forte pour rendre l'expression allemande « Die Welt verging
ihnen », car ce verbe, que nous avons déjà rencontré, servait à Gœthe
pour exprimer l'abandon total de l'être humain à l'amour. Nous le
retrouvons dans le magnifique poème où l'innocente Gretchen dit
son élan vers Faust, son désir d'embrasser son bien-aimé autant qu'elle
le voudrait et de s'anéantir sous ses baisers :

> « Ach ! dürft'ich fassen
> und halten ihn !
> Und küssen ihn,
> so wie ich wollt,
> an seinen Küssen
> vergehen sollt ! (*Faust*, Gretchens Stube)

De cette scène il faut rapprocher également celle où Torquato
Tasso s'enhardit jusqu'à prendre la princesse dans ses bras. Le poète
est dans un état comparable à celui de Werther, mais pour la princesse
le monde ne s'anéantit pas comme pour Charlotte; elle repousse le
malheureux et s'enfuit en prononçant cette condamnation sans appel;
« Hinweg » (*Tasso*, V, 4). Lotte, au contraire, bien qu'elle se hâte de
s'éloigner, n'en est pas moins ballottée entre l'amour et la colère.
Le dénouement ne sera pas le même, puisque Tasso sera sauvé par
son rival Antonio. On a pu dire que Tasso était « un Werther renforcé »
(ein gesteigerter Werther); c'est ici qu'apparaissent le mieux ressem-
blances et différences (voir notre *Gœthe*, pp. 158-159).

Faut-il considérer, comme semble le faire Buriot-Darsiles, que
cette scène a son origine dans un baiser donné par Gœthe à Charlotte,
le 13 août ? La jeune fille en fit l'aveu à son fiancé; il en suivit une petite
« brouillerie » (en français dans le journal de Kestner); on battit froid
à Gœthe, on lui fit un sermon, et, le soir du 16, « on écossa ensemble
des haricots ». Ici la poésie nous paraît assez éloignée de la réalité.

177. De cette scène il faut rapprocher celle où, dans *Les affinités
électives* (Première partie, chapitre 12), une autre Charlotte reçoit du
capitaine un baiser qui exprime son amour (voir notre édition bilingue
Aubier-Flammarion, I, p. 231.

178. Cf. lettre du 17 mai 1771.

179. Cf. Évangile selon saint Jean, 14, 28 : « Je vais à mon Père;
car le Père est plus grand que moi. »

180. Ce sont les termes mêmes employés par Lotte et par Werther
dans la lettre du 10 septembre, c'est-à-dire au cours de la conversation
qui précéda le départ de Gœthe en septembre 1771.

181. En général Werther tutoie Albert, mais ici, dans un billet
presque impersonnel il emploie le « vous ».

182. Dans la lettre du 12 août, Werther avait déjà parlé d'emprunter à Albert ses pistolets; il le préparait ainsi à recevoir cette demande qui n'avait rien d'extraordinaire, car les routes n'étaient pas sûres; Albert ne pouvait donc pas soupçonner les intentions réelles de son ami, mais Lotte semble bien les pressentir et Gœthe prendra soin d'expliquer au lecteur pour quelles raisons elle ne se confia pas à son mari.

183. Jérusalem avait laissé quelques essais philosophiques qui furent ensuite publiés par Lessing; l'un d'eux portait le titre « De la liberté ».

184. Jérusalem fut effectivement enterré dans le cimetière situé près de la fontaine de Wöllbach, un peu à l'écart, contre le mur.

185. Voir Évangile selon saint Luc, X, 31-33 : le prêtre puis le lévite passent sans s'arrêter auprès du malheureux que des brigands ont attaqué et maltraité et ils se bénissent eux-mêmes en faisant le signe de la croix mais le bon Samaritain s'arrête pour verser une larme de compassion. (Bible de Jérusalem, pp. 1368-1369.)

186. Ces détails précis — et bien d'autres — sont tous empruntés au récit de la mort de Jérusalem par Kestner.

187. Dans le récit de Kestner Gœthe a lu ceci : « Le drame *Emilia Galotti* était ouvert sur un pupitre auprès de la fenêtre. » Le détail ne pouvait qu'être le bienvenu, car cette œuvre était à cette époque la seule qui eût une grandeur tragique. Or, si Werther se suicide pour échapper à une vie dénuée de sens et comme pour lancer un défi à la société qui n'a pas su le comprendre, Emilia Galotti demande à son père de la tuer pour lui épargner le déshonneur. C'est donc, dans une certaine mesure au moins, Lessing — et non Gœthe — qui conseille à Werther le suicide ou plutôt la mort librement consentie, puisque, au XVIIIᵉ siècle, on parlait de « Freitod » et non de « Selbstmord ».

188. A cette époque la coutume voulait que les enterrements eussent lieu dans la soirée ou de nuit et que les cercueils fussent portés par des artisans; il en fut donc ainsi pour Werther. Mais les suicidés n'étaient pas accompagnés par un prêtre et n'avaient que difficilement une tombe à l'intérieur du cimetière. Aussi fallut-il l'intervention énergique du président de la Cour, le comte Bassenheim, pour que Jérusalem y fût enterré. En ce qui concerne Werther, c'est le bailli qui a pris l'initiative de lui donner la place qu'il avait lui-même choisie.

189. Voir notre préface, p. 38.

TABLE DES MATIÈRES

TITRES RÉCEMMENT PARUS

GF GRAND-FORMAT

Vous trouverez chez votre libraire le catalogue complet de notre collection.

GF — TEXTE INTÉGRAL — GF

2100-IX-1987. — Imp. Bussière, St-Amand (Cher).
N° d'édition 11364. — 4ᵉ trimestre 1976. — Printed in France.